ESPACES

1

Méthode de français

Guy CAPELLE
Noëlle GIDON

HACHETTE
58, rue Jean-Bleuzen
92170 VANVES

Table des illustrations

A.A.A. / Boutin : 118 hd ; A. Picou : 118 bg. **J. Bottin** : 50, 95. **CIRIC** / A. Pinoges : 158. **Cosmos** / G. Gornacz : 128 ; F. Perri : 118 mg. **Diaf** / G. BellY : 76 b ; J. Bernard : 160 hg ; R. Bouquet : 76 h ; Chanut : 160 mbg ; P. Dannic : 17 hd, 45 hd ; J. Delpy : 146 ; G. Durand : 76 mb ; A. Even : 156 ; H. Gyssels : 17 g, 87, 146, 160 bg ; T. Jullien : 60,146 ; J. Kerebel : 144 ; J.P. Langeland : 8, 10 hd, 104 bd, mg ; A. Le Bot : 17 hg, 46 bd, 101 bd ; J. Ch. Pratt-D. Pries : 68, 138 g, 172 bg ; B. Régent : 65, 130 bd ; P. Somelet : 76 mh ; D. Thierry : 45 bg ; S. Villerot : 10 hm, 78 bg, 146. **E.S.A.** / 172 d. **Explorer** / J.L. Bohin : 25 hg, 172 bg ; T. Borredon : 11 d ; M. Dubois : 11 g ; P. Gleises : 104 bg ; F. Gohier : 34 hg ; Goudouneix : 34 bg ; F. Jalain : 34 md, hd, 45 bd ; E. de Malglaive : 15 ; Psi : 9, 25 hd ; Ph. Roy : 88 hd, md ; P. Thomas : 107 ; H. Veiller : 88 mg ; A. Wolf : 100. **Christian Fechner Productions** : 114, 115 h. **Fotogram Stone** / K. Christensen : 105. **Gamma** / Bakalian : 31 h ; M. Barrault : 30 m ; J.P. Bonnotte : 30 h ; S. Bouvet-Duclos : 32 bd ; J. Guichard : 32 hd, 130 bg ; De Keerle : 32 bg ; Perrin-Tardy : 30 b ; M. Stevens : 104 h ; H. Tardy : 32 hg ; Ch. Vioujard : 104 md ; Voyeux : 101 mh. **Gamma Sport** / F. Darmigny : 31 bd ; Gouverneur-photo news : 32 m. **Giraudon** / Lauros : 23 ; Musée Rodin : 114 ; Beaux-Arts de Poitiers : 115 ; Musée Carnavalet : 151. **Jerrican** / coll. Busca : 116 hg ; Carton : 52 bg ; Gable : 118 hg ; Limier : 118 mbd ; Rasub : 106. **Keystone** / 162, 164, 165, 171 ; D. Aubert : 157 h ; V. Kessler : 157 b ; Laski : 157 m. **D. Perrault** : 62 bg. **Bernand** / Petiteau : 85. **P. Philippon** : 10 hg, 43, 64, 67. **Pix** / J. Bénazet : 14 ; Carcauzon : 113 hd ; Meaux-soone : 112 ; R. Poinot : 48 ; Schall : 79 h ; De Torquat : 146. **Photothèque Hachette**, J.C. Colin : 130 h. **Rapho** / R. Frieman : 118 bd ; Réga : 52 hd ; De Sazo : 113 mg. **Hoa-Qui** / Renaudeau : 79 bm. **Scope** / J.L. Barde : 49, 91 ; D. Faure : 35, 147, 161 ; J. Guillard : 7, 21 ; M. Guillard : 63 ; J. Sierpinski : 77, 119, 133 ; J.D. Sudres : 34 mg. **Sipa Press** / Benaroch : 106 hd ; M. Sichov : 31 h ; Sola : 106 hg. **Tapabor** / L. de Selva : 102. **Top** / 101 hd ; Barbe-rousse : 101 mb ; R. Mazin : 62 md, bd, mg, h. **Roger Viollet** / 20 ; Lipnitzki : 121.

B.D. : Astérix, Le Grand Fossé, Uderzo © 1989, Les éditions Albert René / Goscinny-Uderzo, 102. La Famille Oboulot en vacances, Reiser, © 1989, Reiser et éditions Albin Michel, 126. La vie des Bêtes, Reiser, © 1989, Reiser et éditions Albin Michel, 156. Les Bidochon en vacances, Binet © 1989, Binet-Audie / Fluide Glacial, 96.

Couverture : Fotogram Stone.

Avec nos remerciements à :

Air-France – Alliance Française : 79 bd – Bicyclub de France : 16 – Chanel : 120, 121 – Citroën : 135 – Comité Français d'Éducation pour la Santé : 93 – Express Immobilier : 44 – Fédération des Parcs naturels de France : 160 – Fondation Cousteau : photos de la Fondation : 129, A. Falco, Apesteguy – Ford : 135 – Ville d'Albertville : 155 – Maison de Savoie : 138 d, 160 bd, mhg – Le Forum des Halles : 57 – Le Guide Michelin : 112.
Office de Tourisme du Québec : 59 – Office de Tourisme de Sanary : 45, 46 – Peugeot : 134 – RATP : 56, 136 – Relais et Châteaux : 141 – Renault : 136 – Yves Saint-Laurent Couture : Debussy, Collection Automne-hiver 89/90 : 86 ; croquis de Louis Féraud : 122, 123 – Thomson : 72 – Signalisation Routière Française : 64, 65.

Direction éditoriale : Anne Rebérioux
Édition : Annie Coutelle
Secrétaire d'édition : Hélène Gonin
Couverture : Gilles Vuillemard
Conception graphique : tout pour plaire
Maquette : Katherine Roussel
Illustrations : Eric Rullier (« La roue tourne »), Maxime Rebière (« Mémoires d'ordinateur »)
Dessins et cartes : Michel Delporte, Laurent Lalo
Documentation : Nane Dujour

I.S.B.N. : 2.01.01.5320.0
© HACHETTE, PARIS, 1990.

Avant-propos

ESPACES 1 est le premier de trois ensembles pédagogiques destinés aux adolescents et aux adultes débutants.

Aux objectifs habituels des méthodes : apprendre
- à communiquer en français oralement et par écrit,
- à maîtriser progressivement le fonctionnement de la langue,
- à connaître la France et le monde francophone,
s'ajoute, dans ESPACES, le souci de proposer des techniques et des stratégies qui facilitent l'apprentissage et mènent graduellement l'apprenant à une certaine autonomie.

Avec ESPACES, l'apprentissage est orienté vers tous les aspects de la communication. Il s'articule sur une triple approche mettant en jeu la forme, la fonction et le sens. Il s'appuie sur des éléments concrets, grâce à la référence constante aux documents proposés. Il met en relation le langage, les comportements et les savoir-faire. De plus, la compréhension et la production écrites jouent, dès le premier dossier, un rôle original dans une méthode de débutants, mais essentiel dans la conception que les auteurs se font de l'apprentissage.

Chacun des 12 dossiers est divisé en 3 parties distinctes et complémentaires (voir p. 6). Les documents-clé présentés dans chaque partie sont précédés d'activités d'analyse et d'organisation de l'information et complétés par de nombreux exercices. La découverte de la civilisation française se fait tout au long du dossier, à travers les fictions proposées (feuilleton et BD), et plus particulièrement à l'occasion de nombreux textes et photos.

La langue présentée est directement utilisable dans toutes les situations de communication avec des francophones. Un cahier d'exercices et des enregistrements complètent le livre de l'élève.

ESPACES 1 propose 120 à 150 heures de cours.

Cette méthode, simple et facile à utiliser, est programmée en fonction du rythme et des possibilités d'assimilation des apprenants : le module de travail, la double page, correspond à une ou deux séquences d'enseignement.

Enfin, nous espérons que le choix des thèmes et des documents fait d'ESPACES un ensemble pédagogique non seulement efficace mais aussi motivant et attrayant.

Contenu

Dossier	Notions, Actes de parole	Grammaire	Phonétique	Fonctionnement des textes	Aspects socio-culturels
1. Qui êtes-vous ?	▲ s'identifier, saluer ▲ s'informer, demander ▲ confirmer, remercier	▲ présent de être ▲ pron. pers. sujets ▲ s'appeler (prés.) ▲ articles ▲ nombres de 1 à 60 ▲ Qui ? Quel ? ▲ masculin et féminin	▲ alphabet. sons ▲ accent tonique ▲ syllabation	▲ disposer une lettre ▲ première approche de la situation de communication écrite	▲ faire connaissance ▲ inscription à un club de cyclotourisme
2. Qui sont-ils ?	▲ identifier les autres ▲ s'informer sur liens familiaux ▲ origine, profession ▲ présentations ▲ appartenance	▲ adjectifs possessifs ▲ pluriel des noms ▲ avoir (présent) ▲ verbes en — er ▲ négation ▲ C'est... ▲ Où ? d'où ? ▲ venir (prés. et impér.) ▲ réponse « Si »	▲ liaison et enchaînement, intonation montée/descente	▲ type de texte : légende de photo ▲ construire le sens d'un texte ▲ processus d'inférence ▲ structurer de l'information ▲ situation de communication	▲ une famille française moyenne ▲ le « tu » et le « vous » ▲ présentation de quelques personnages célèbres
3. Où est-ce ?	▲ situer dans un espace intérieur ▲ ordres, interdictions ▲ surprise, indifférence, irritation	▲ Il y a ▲ ne... pas... de ▲ démonstratifs, prépositions de lieu ▲ mettre/prendre (prés. et impératif)	▲ lettres muettes ▲ -s.-x- entre voyelles ▲ intonation	▲ type de texte : lettres de demande de renseignements ▲ déchiffrer et écrire des petites annonces ▲ lettres : mise en forme et formules	▲ la maison, le mobilier ▲ organisation de l'espace ▲ la concierge dans un immeuble
4. Où vont-ils ?	▲ situer dans une ville ▲ demander et indiquer des directions ▲ s'excuser, remercier	▲ aller (présent), prép. de lieu ▲ Pourquoi ? Parce que...	▲ voyelles nasales ▲ lettres muettes, ▲ graphies de e/u	▲ type de texte : guide touristique ▲ la situation de communication ▲ repérage d'informations	▲ lire un plan de ville ▲ Paris, rive gauche ▲ les transports parisiens ▲ la ville de Québec ▲ rapports jeunes-adultes
5. Que voulez-vous ?	▲ ordres, interdictions ▲ conseils, possibilité ▲ volonté, offre d'aide	▲ pouvoir/vouloir au présent ▲ impératif ▲ il (ne) faut (pas) ▲ pron. compl. objet	▲ consonnes finales ▲ voy. arrondies et tirées ▲ intonation	▲ type de texte : notice d'utilisation d'appareil ▲ organisation séquentielle ▲ rapport texte-illustration	▲ vie pratique ▲ l'emploi des jeunes : l'ANPE ▲ rapports entre collègues
6. Qu'est-ce qu'ils font ?	▲ actions en cours et actions habituelles ▲ dire l'heure ▲ proposer, accepter, refuser	▲ emplois du prés. ▲ faire (prés.) ▲ prép. de temps ▲ verbes réfléchis ▲ déjà ▲ pas encore	▲ lettres muettes ▲ lever/lève	▲ type de texte : reportage, ▲ organisation chronologique ▲ références internes ▲ marqueurs de séquence	▲ vie quotidienne ▲ l'heure dans le monde ▲ les loisirs des jeunes ▲ le métier de mannequin
7. De quoi avez-vous besoin ?	▲ expression des besoins, goûts ▲ notions de quantité, probabilité ▲ expression des intentions	▲ quantificateurs ▲ partitifs : en = de + n ▲ si + présent ▲ aller + infinitif	▲ le « e » caduc	▲ type de texte : article de vulgarisation sociologique ▲ ponctuation, majuscules ▲ construction de paragraphes ▲ fonction d'un texte	▲ habitudes alimentaires des Français ▲ diététique : les 4 groupes d'aliments ▲ préparation d'une excursion
8. Ça se passe comment ?	▲ rapporter, décrire des événements actuels ▲ faire des commentaires	▲ y = à + lieu ▲ prép. de temps : dans, depuis, pendant combien de temps ▲ inversion sujet/verbe ▲ qui est-ce qui/que, qu'est-ce qui/que	▲ liaisons et enchaînements	▲ type de texte : critique de film ▲ influencer le lecteur ▲ le résumé d'un texte par élimination ▲ faits et commentaires	▲ le monde du cinéma ▲ le Festival de Cannes ▲ une excursion dans le Périgord ▲ la campagne
9. Qu'avez-vous fait ?	▲ rapporter, décrire des événements passés	▲ passé composé avec avoir et être ▲ participes passés ▲ pendant, en, il y a ▲ genre et place des adjectifs ▲ mise en valeur : c'est que...	▲ les semi-voyelles : j, w, y ▲ les voyelles centrales : y, ø, œ	▲ type de texte : biographie ▲ ordre chronologique ▲ analyse de l'information	▲ le monde de la mode ▲ vies exemplaires ▲ préparer un C.V.
10. Laquelle préférez-vous ?	▲ goûts, rejets, préférences ▲ opinions ▲ justifications, ▲ accord/désaccord ▲ conseil ▲ argumenter, rejeter des propositions	▲ comparatifs adject. et adverbes ▲ adv. d'intensité, adv. de fréquence ▲ pron. démonstratif ▲ lequel ? ▲ restriction : ne... que ▲ moi aussi/non plus, moi si/pas moi ▲ passé récent : venir de	▲ les voyelles moyennes : e, eu, o	▲ type de texte : publicitaire ▲ argumentation ▲ repérage et analyse de l'information	▲ vie en ville et en province ▲ l'évasion des vacances ▲ comment choisir ?
11. Il faut que ça change !	▲ opinions, critiques ▲ souhaits/volonté ▲ accord/désaccord ▲ émotions, reproches	▲ subjonctif présent, reg. et irrégulier ▲ subj. après vouloir/il faut ▲ doute/émotions ▲ infinitif ou subj. dans la subordonnée	▲ les groupes de consonnes	▲ type de texte : manifeste ▲ règlement de concours ▲ structure de l'information	▲ le monde de demain ▲ écologie ▲ espoirs et inquiétudes des Français
12. Ça se passait quand ?	▲ rapporter faits et circonstances du passé ▲ relances de la conversation ▲ inquiétude ▲ réprobation	▲ passé composé des verbes pronominaux ▲ imparfait	▲ caractères généraux de la prononciation du français	▲ type de texte : récit et synthèse historiques ▲ faits et commentaires ▲ liens de cause à effet ▲ critères d'évaluation d'un texte	▲ les événements de mai 1968 ▲ la construction de l'Europe ▲ à chacun sa vérité

Sommaire

Conseils d'utilisation

Structure d'un dossier

 Informations/préparation

Quatre pages de documents préparés et exploités par des exercices.
• Documents de mise en place du thème.
• Présentation des aspects grammaticaux et lexicaux importants (tableaux de grammaire).
• Exploitation orale et écrite avec référence constante au document de base (exercices).

Objectif :
Fournir dès le début du dossier tous les éléments linguistiques nécessaires à la suite, sans passer par le truchement traditionnel du dialogue fabriqué. Proposer des thèmes culturellement « fonctionnels ».

 Paroles

Quatre pages centrées sur la compréhension et la production orales à partir d'une histoire suivie présentée sous forme de BD.
• Bande dessinée, « La roue tourne », en 12 épisodes qui présentent différentes régions de France, différents personnages, de différents âges, dans différentes situations de la vie quotidienne.
• Exercices préparatoires de compréhension orale, prenant appui sur le dessin.
• Exercices de discrimination auditive (les scripts figurent en fin d'ouvrage).
• Exercices de production orale (jeux de rôle).
• Une rubrique de phonétique fonctionnelle et intonative : « Des sons et des lettres ».

Objectif :
Privilégier la langue parlée et mettre en évidence les phénomènes particuliers à l'oral : prononciation et intonation, actes de parole, stratégies communicatives.

 Lectures/écritures

Quatre pages qui mettent l'accent sur la communication écrite en suivant le déroulement d'un magazine.
• « Lectures » : des textes illustrés de photos, des exercices qui préparent cette lecture et s'organisent autour de quatre grandes étapes : anticiper, mettre en ordre, rechercher les faits, interpréter.
• « Écritures » : exercices gradués de production écrite.
• « Feuilleton » : « Mémoires d'ordinateur ». Histoire à suspense ne faisant l'objet d'aucune exploitation dans le livre.

Le dossier se termine par une page « Magazine » apportant des informations culturelles, ou par une page « Faites le point. » après les dossiers 3, 6, 9 et 12. Le dossier 1, qui a une approche un peu différente puisqu'il ne comporte pas de page feuilleton, se termine par une page consacrée au vocabulaire de la classe : « Consignes ».

Objectifs :
Présenter les spécificités de la situation de communication écrite ainsi que techniques et stratégies de compréhension. On y élabore également une approche systématique de la production de textes.

• À l'intérieur du dossier, le module de travail est la double page : les documents et les textes-supports sont présentés sur la page de droite, celle qui retient le plus l'attention du lecteur ; les exercices et les activités sont groupés sur la page de gauche, en regard du document.
• La BD est entièrement enregistrée.
Tous les textes et exercices enregistrés sont accompagnés du pictogramme.
Certains exercices portent sur des dialogues ou enregistrements qui ne figurent pas dans les dossiers ; ils sont signalés par le même pictogramme et on en trouvera la transcription en fin d'ouvrage.
• Ce livre n'est pas un cahier. Les exercices qui demandent une intervention écrite sont à faire sur une feuille à part.

QUI ÊTES-VOUS ?

DOSSIER

1

Votre fiche, s'il vous plaît?

 Qui êtes-vous ?

Recopiez la fiche de la page 9 et donnez-la à votre professeur.

 Qui est-il ?

Écoutez le dialogue et complétez les phrases.

1. Il s'appelle . . . . . (nom)
2. Il est . . . . . (nationalité)
3. Il a . . . . . (âge)
4. Il est . . . . . (profession)
5. Il n'est pas . . . . . (état civil)
6. Il habite à . . . . . (adresse)

 Qui est-elle ?

Écoutez la conversation entre la secrétaire et Maria Vitti et répondez aux questions sur Maria.

1. Quel est son nom ?
2. Quel est son prénom ?
3. Elle est italienne ?
4. Elle est mariée ?
5. Quelle est sa profession ?

LES PRONOMS PERSONNELS SUJETS
PRÉSENT DE « ÊTRE »

Je	**suis**	marié(e).
Tu	**es**	étudiant(e).
Il/Elle	**est**	italien(ne)
On	**est**	étudiant(e)s.
Nous	**sommes**	marié(e)s.
Vous	**êtes**	étudiant(e)s.
Ils/Elles	**sont**	italien(ne)s.

- Avec « être » : accord du sujet et de l'adjectif.
- On = nous : l'adjectif est au pluriel.
- Vous ... est la forme de politesse.

 Qui sont-ils ?

Complétez ces phrases.

1. Maria . . . . . italienne. Et vous, vous . . . . . français ?
2. Nous . . . . . étudiants. Et vous, ... professeur ?
3. Ils . . . . . mariés. Moi, je ne . . . . . pas marié, je . . . . . célibataire.
4. Elles . . . . . francaises. Et vous ? Nous, nous . . . . . italiennes.

POSEZ DES QUESTIONS
LES PRONOMS INTERROGATIFS

Vous êtes italienne ?	→	Non, je suis française.
Qui est étudiant ?	→	Moi / Nous.
Quel est son nom ?	→	Garcia / Luis Garcia.
Quelle est sa nationalité ?	→	Il est espagnol.

 Qui est-ce ?

Posez des questions à votre partenaire sur d'autres étudiant(e)s.

Votre fiche, s'il vous plaît?

Nom de famille :	. . . .
Nom de jeune fille :	. . . .
Sexe :	. . . .
Prénom :	. . . .
Nationalité :	. . . .
Date de naissance :	. . . .
Lieu de naissance :	. . . .
Profession :	. . . .
Situation de famille : marié(e) / célibataire /	
veuf(ve)/ divorcé(e) :	. . . .
Adresse :	. . . .
	. . . .

Bonjour !
Je m'appelle Luis Garcia.
Je suis espagnol.
J'ai 24 ans.
Je suis photographe.
Je suis célibataire.
J'habite à l'hôtel.
Mon numéro de téléphone
est le 45.36.27.18.

▶ 6 **Bonjour ou salut ?**

Écoutez les trois échanges. Puis saluez un(e) autre
étudiant(e). Choisissez un des trois modèles.

▶ 7 **Tu t'appelles comment ?**

Écoutez les trois échanges et posez des questions à
un(e) autre étudiant(e). Choisissez un des échanges 4,
5 ou 6 comme modèle.

PRONOMS PERSONNELS TONIQUES – PRÉSENT DE « S'APPELER »

Moi,	je m'appell**e** Corinne.	**Nous,**	nous nous appel**ons**…
Toi,	tu t'appell**es**…	**Vous,**	vous vous appel**ez**…
Lui,	il s'appell**e**…	**Eux,**	ils s'appell**ent**…
Elle,	elle s'appell**e**…	**Elles,**	elles s'appell**ent**…

⚠ Attention à la prononciation !
• appelle, appelles, appellent = [apɛl]   • appelons = [aplõ] – appelez = [aple]

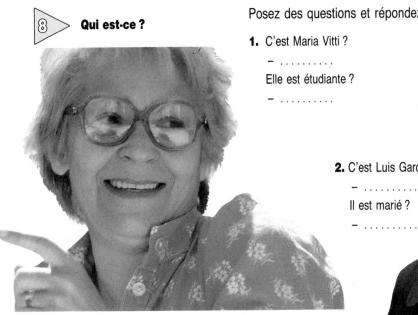

8 ▷ Qui est-ce ?

Posez des questions et répondez.

1. C'est Maria Vitti ?

– . . . .

Elle est étudiante ?

– . . . .

2. C'est Luis Garcia ?

– . . . .

Il est marié ?

– . . . .

LA NÉGATION → NE / N' (verbe) PAS ...

C'est Maria ?	→ Non, ce **n'**est **pas** elle.
Elle est mariée ?	→ Non, elle **n'** est **pas** mariée.
Elle habite en France ?	→ Je **ne** sais **pas**.

9 ▷ Comment ils s'appellent, eux ?

Complétez les phrases suivantes.

1. . . . . . , ils . . . . . Bernard et Alain.
2. Nous, ... : . . Delorme.
3. . . . . . , il . . . . . Thierry.
4. . . . . . , vous . . . . Brigitte.
5. Elles, ... Blanchard.

10 ▷ Qui est-ce ?

Écoutez le dialogue et dites si vous entendez :

1. le nom,   **4.** la nationalité,
2. le prénom,   **5.** la profession,
3. l'âge,   **6.** la situation de famille.

11 ▷ Et elle, elle s'appelle comment ?

Montrez des étudiants et demandez à votre partenaire comment ils s'appellent.

Lui, il s'appelle comment ? Il s'appelle ...

LA ROUE TOURNE

1 **Quelle est la situation ?**

Avant d'écouter, regardez la bande dessinée.

1. Où est Thierry ?
2. Qui est dans le bureau ?
3. Qui parle à Thierry ?

LES NOMS – MASCULIN ou FÉMININ			
masculin		*féminin*	
Quel	nom	**Quelle**	rue
Son	prénom	**Sa**	famille
Le	numéro	**La**	nationalité

⚠️ • Faites l'accord des articles avec le nom.
• Le/la + son de voyelle = l'
l'âge - l'hôtel - l'inscription...

2 **Mettez ensemble question et réponse.**

1. Bonjour, c'est pour quoi ?
2. Vous vous appelez comment ?
3. Quel est votre prénom ?
4. Vous habitez Paris ?
5. Quelle est votre adresse ?
6. Vous avez un numéro de téléphone ?
7. Votre carte d'identité, s'il vous plaît.

   a. Oui.
   b. 36, rue Princesse, dans le 5e.
   c. C'est pour une inscription.
   d. Charlotte.
   e. Morlay.
   f. Voilà.
   g. Oui, c'est le 43.58.82.36.

4 **Masculin ou féminin ?**

Mettez « le, la ou l' » devant le nom.

1. ... hôtel
2. ... profession
3. ... bureau
4. ... adresse
5. ... rue
6. ... carte
7. ... question
8. ... exercice
9. ... identité
10. ... téléphone

5 **Qu'est-ce qu'ils disent ?**

3 **Vrai ou faux ?**

Écoutez le dialogue et dites : « C'est vrai » ou « C'est faux ».

1. Le nom de famille de Thierry est Morlay.
2. Son nom s'écrit L.A.S.U.R.
3. Thierry n'a pas d'adresse à Paris.
4. Il habite à l'hôtel.
5. L'hôtel Bon Séjour est dans le 15e arrondissement.
6. Thierry a vingt-quatre ans.
7. Il a une carte d'identité.
8. Il parle à Charlotte.

(6) Charlotte et Thierry font connaissance.

Complétez le dialogue.
Écoutez l'enregistrement et jouez la scène.

– Excusez-moi. Je . . . . . Thierry Lazure, et...
– Je sais. Lazure avec un Z !
– Oh... Et vous, ... comment ?
– Moi, ... Charlotte Morlay, avec un Y.
– Vous . . . . . Paris ?
– Oui.
– Moi aussi. J'. . . . . à l'hôtel.
– Je sais. Dans le 15ᵉ. Au revoir, à bientôt.
– Euh, oui, au revoir.

(7) La secrétaire demande confirmation.

Vous êtes Thierry. Jouez la scène avec un(e) autre étudiant(e).

– *Excusez-moi. Votre nom, c'est bien Lazure ?*
– *Oui, c'est ça.*
– *Votre prénom, c'est bien Christian ?*
– *Non, ce n'est pas ça. Je m'appelle Thierry.*

1. Votre nom, ça s'écrit bien avec un Z ?
2. Votre adresse, c'est bien rue du Bois ?
3. Votre hôtel, c'est bien dans le 15ᵉ ?
4. Votre âge, c'est bien vingt-quatre ans ?

(8) Jeu de rôle. Vous avez une pièce d'identité ?

Dans la rue un agent de police fait un contrôle d'identité.
Pierre Lantier est étudiant à Paris. Il habite à l'hôtel.
Jouez la scène.

(9) Jeu de rôle. À la banque...

Vous ouvrez un compte dans une banque française. L'employé(e) vous demande votre identité. Imaginez et jouez la scène.

 Jeu de rôle.
Excusez-moi !

Vous cherchez une personne à l'aéroport.

1. – *Excusez-moi. Vous êtes bien... ?*

– *Oui, c'est...*

Continuez. Présentez-vous.

2. – *Excusez-moi. Vous êtes bien... ?*

– *Non...*

Insistez :

– *Vous ne vous appelez pas... ?*

DES SONS ET DES LETTRES

■ Accents

– aigu : é [e] *téléphone, vélo, marié, identité*

– grave : è [ɛ], à, ù *pièce, très, à Paris, où*

– circonflexe : ê [ɛ], î, ô *êtes, il connaît, hôtel*

■ Lettres muettes

– e final *un(e) fich(e) – Ell(e) s'appell(e) Clair(e).*

– consonnes finales *Nou(s) somme(s) français(s). Ça s'écri(t) commen(t) ?*

– masculin *étudian(t) / italien / français(s)*

– féminin *étudiante / italienne / française*

■ Accent tonique

La dernière syllabe du mot ou du groupe est toujours plus forte.

☐ Écoutez et prononcez :

1. l'identiTÉ **5.** Ça s'écrit comMENT ?

2. une inscripTION **6.** J'habite à l'hôTEL.

3. Votre préNOM ? **7.** Il a quel ÂGE ?

4. Vous vous appeLEZ ? **8.** Il a un véLO.

☐ Découpez les mots en syllabes égales. Écoutez et prononcez :

1. Elle / s'a / ppelle / Co / ra / lie.

2. E / lle est / fran / çaise.

3. Son / nu / mé / ro / de / té / lé / phone.

4. J'ha / bi / te à / l'hô / tel.

Communiquez par lettre

1

ville et date	Paris, le 12 novembre 1989
adresse du destinataire	Bicyclub de France 8, place de la Porte-de-Champerret 75017 PARIS

Monsieur,

Voulez-vous avoir l'obligeance de m'envoyer une documentation sur votre club (cotisation, programme d'activités, etc.) à l'adresse suivante :

M. Bernard Bousquet
15, rue de la gaîté
75014 PARIS

Avec mes remerciements, veuillez agréer, Monsieur, l'expression de mes sentiments distingués.

Bernard Bousquet

formule de politesse

signature

BICYCLUB DE FRANCE

1 Quelle est la situation ?

1. Quelle est la ville ?
2. Quelle est la date ?
3. Qui écrit ?
4. À qui ?
5. À quelle adresse ?

2 Quels mots de la lettre est-ce que vous comprenez ?

Donnez la liste.

La randonnée.

BICYCLUB DE FRANCE

8, place de la Porte-de-Champerret
75017 Paris

| 1 |

Paris, le 20 novembre 1989

| 2 |

M.Bernard BOUSQUET

| 3 | ——— 15, rue de la Gaîté
75014   PARIS

Monsieur,

Le Bicyclub de France est la première association de tourisme à bicyclette de France.

Nous proposons la découverte, en vélo, des richesses touristiques de notre pays des sorties dans la région parisienne tous les week-ends et, en été, des circuits d'une ou deux semaines dans toute la France.

La cotisation est de 180 francs par an.

Nous espérons vous compter bientôt parmi nos membres et vous prions de croire, Monsieur, à l'expression de notre vive sympathie.

Le Président,

| 4 | | 5 |

③ Qu'est-ce que c'est ?

Lisez la lettre et donnez le nom des cinq parties.

④ Quelle est la situation ?

1. Qui écrit ?
2. À qui ?
3. En réponse à quoi ?
4. Pourquoi ?
– Pour donner des renseignements ?
– Pour demander des renseignements ?

⑤ Quels sont les renseignements ?

1. la cotisation,
2. les sorties,
3. ...

⑥ À vous !

Écrivez une lettre : vous demandez des renseignements pour vous inscrire à un club de sport ou à une association culturelle.

Apprenez l'alphabet.

L'alphabet latin a 26 lettres :

ABCDEFGHIJKLMNOPQRSTUVWXYZ

abcdefghijklmnopqrstuvwxyz

abcdefghijklmnopqrstuvwxyz

 7 **L'alphabet, c'est utile !**

Écoutez et répétez.

Les 6 voyelles :	a, e, i, o, u, y	
Les 20 consonnes :	h, k	[a]
(et leurs voyelles d'appui)	b, c, d, g, p, t, v, w	[e]
	f, l, m, n, r, s, z	[ɛ]
	j, x	[i]
	q	[y]

9 **À vous de dire !**

Épelez les mots suivants à votre partenaire.

italienne : I.T.A.L.I.E. 2N. E.
Thierry : T.H.I.E. 2R. Y.

1. appeler   **5.** lettre
2. adresse   **6.** addition
3. commencer   **7.** accent
4. abbaye   **8.** aller

 8 **Vous connaissez ces sigles ?**

Écoutez et donnez le numéro du sigle.

1. SNCF   **5.** RATP
2. RER   **6.** FR3
3. TGV   **7.** EDF
4. A2   **8.** INC

10 **Ça s'écrit comment ?**

Demandez à un(e) autre étudiant(e) d'épeler son nom.

– *Vous vous appelez comment ?*
– *. . . . .*
– *Ça s'écrit... ?*
– *Oui, c'est bien ça. / – Non, ça s'écrit...*

Les chiffres et les nombres.

CHIFFRES									
0	1	2	3	4	5	6	7	8	9
zéro	un	deux	trois	quatre	cinq	six	sept	huit	neuf

NOMBRES							
10	11	12	13	14	15	16	17
dix	onze	douze	treize	quatorze	quinze	seize	dix-sept

18	19	20	21	22...
dix-huit	dix-neuf	vingt	vingt et un	vingt-deux ...

30 ...	40 ...	50 ...	60 ...
trente ...	quarante ...	cinquante ...	soixante ...

70	71 ...	79
soixante-dix	soixante et onze ...	soixante-dix-neuf

80	81 ...	89
quatre-vingts	quatre-vingt-un ...	quatre-vingt-neuf

90	91 ...	100
quatre-vingt-dix	quatre-vingt-onze ...	cent

11 Quels sont ces nombres ?

Écrivez ces nombres en chiffres.

1. trente et un
2. soixante-trois
3. cinquante et un
4. trente-six
5. quarante-cinq
6. vingt-sept
7. soixante-dix
8. cinquante-huit

12 Ils s'écrivent comment ?

Écrivez ces nombres en lettres.

1. – 41 **3.** – 96 **5.** – 60
2. – 55 **4.** – 15 **6.** – 82

13 Dans quel ordre ?

Écoutez et dites dans quel ordre vous entendez ces numéros de téléphone.

1. – 11.59.63.32 **3.** – 76.27.38.46 **5.** – 37.25.62.12
2. – 42.36.21.13 **4.** – 27.39.48.14 **6.** – 45.48.52.98

14 À vous !

Écrivez en lettres le montant de ces chèques.

1. 72,20 F
2. 55,15 F
3. 98,10 F
4. 67,35 F
5. 83,75 F

15 Au téléphone.

Jouez le dialogue avec un(e) autre étudiant(e).

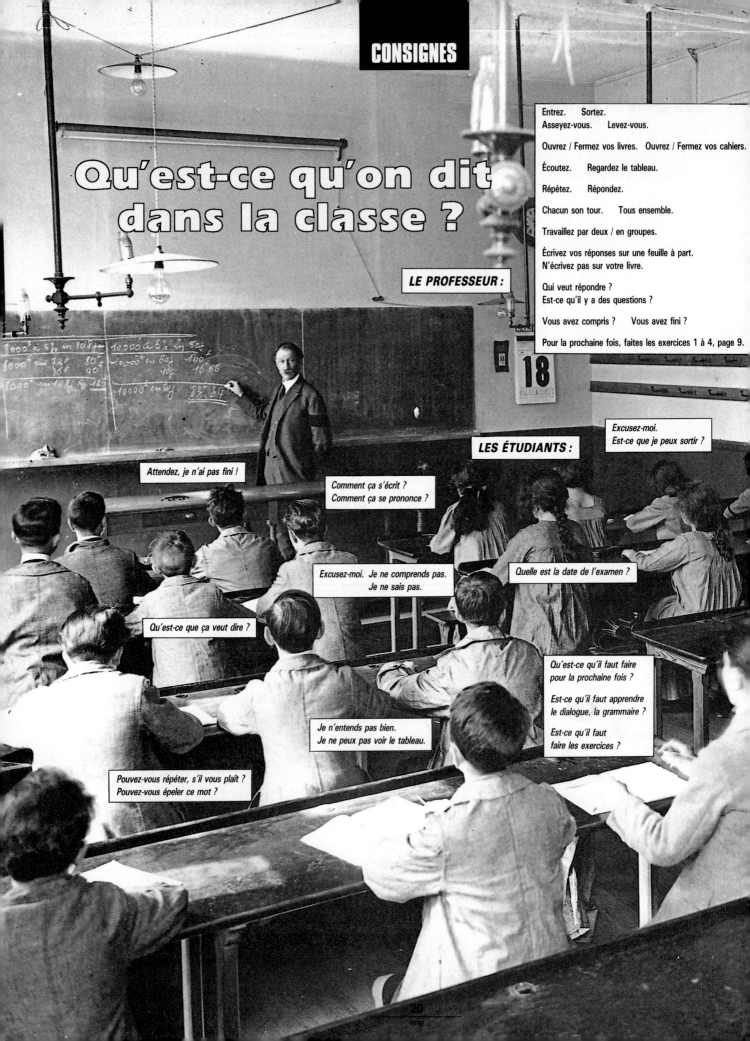

Qu'est-ce qu'on dit dans la classe ?

Entrez.   Sortez.
Asseyez-vous.   Levez-vous.

Ouvrez / Fermez vos livres.   Ouvrez / Fermez vos cahiers.

Écoutez.   Regardez le tableau.

Répétez.   Répondez.

Chacun son tour.   Tous ensemble.

Travaillez par deux / en groupes.

Écrivez vos réponses sur une feuille à part.
N'écrivez pas sur votre livre.

Qui veut répondre ?
Est-ce qu'il y a des questions ?

Vous avez compris ?   Vous avez fini ?

Pour la prochaine fois, faites les exercices 1 à 4, page 9.

LE PROFESSEUR :

LES ÉTUDIANTS :

Excusez-moi.
Est-ce que je peux sortir ?

Attendez, je n'ai pas fini !

Comment ça s'écrit ?
Comment ça se prononce ?

Excusez-moi. Je ne comprends pas.
Je ne sais pas.

Quelle est la date de l'examen ?

Qu'est-ce que ça veut dire ?

Qu'est-ce qu'il faut faire
pour la prochaine fois ?

Est-ce qu'il faut apprendre
le dialogue, la grammaire ?

Je n'entends pas bien.
Je ne peux pas voir le tableau.

Est-ce qu'il faut
faire les exercices ?

Pouvez-vous répéter, s'il vous plaît ?
Pouvez-vous épeler ce mot ?

QUI SONT-ILS ?

DOSSIER

2

Souvenirs de famille

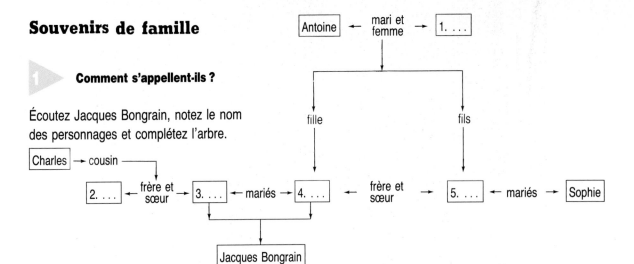

1 ▶ Comment s'appellent-ils ?

Écoutez Jacques Bongrain, notez le nom
des personnages et complétez l'arbre.

ARTICLES DÉFINIS

Singulier		
	le mari de Sophie.	
C'est	**la** sœur de Jean.	
	le cousin de Marie et de Jean.	
	la fille de Noémie et d'Antoine.	
Pluriel		
Ce sont	**les** parents de Mathilde.	
	les enfants de Noémie et d'Antoine.	

LES ADJECTIFS POSSESSIFS

⟶ **son** mari
⟶ **sa** sœur
⟶ **leur** cousin
⟶ **leur** fille

⟶ **ses** parents
⟶ **leurs** enfants

⚠ Faites l'accord de l'article ou du possessif avec le nom :
- ton frère, ta cousine, votre sœur, vos amies, leurs enfants ;
- ma / ta / sa sœur, mais : mon adresse, ton amie, son identité.

PLURIEL DES NOMS

On ajoute **s** à la forme écrite.
La prononciation est la même.

 Qui sont ces personnes ?

Qui sont les enfants d'Antoine et de Noémie ?
→ *Leurs enfants, ce sont Mathilde et Paul.*

1. Qui est le mari de Noémie ?
2. Qui est le frère de Mathilde ?
3. Qui est la sœur de Jean ?
4. Qui sont les cousins de Charles ?
5. Qui est la femme de Paul ?

3 ▶ Quel âge ont-ils ?

1. Quel âge a Jean Bongrain ?
2. Quel âge a la femme de Jean ?
3. Quel âge a Charles ?
4. Quel âge a la cousine de Charles ?
5. Quel âge ont les enfants d'Antoine et de Noémie ?
6. Et vous, quel âge avez-vous ?

PRÉSENT de « AVOIR »

J'	**ai**		Nous	**avons**	
Tu	**as**	trente et un ans.	Vous	**avez**	deux enfants.
Il / Elle	**a**		Ils / Elles	**ont**	

⚠ Utilisez « avoir » pour indiquer l'âge, la possession...

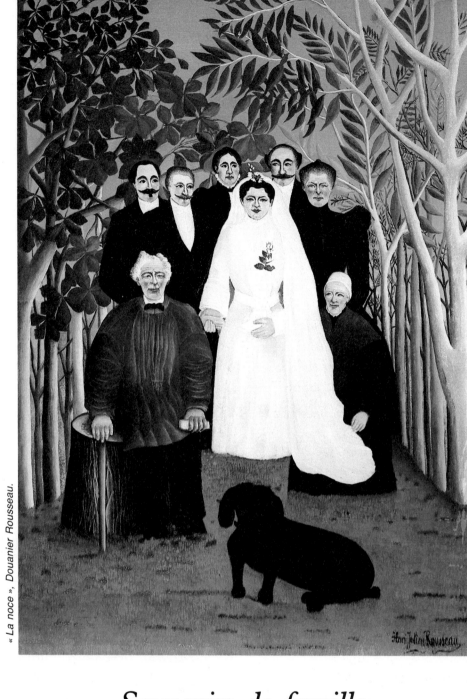

« La noce », Douanier Rousseau.

Souvenirs de famille.

Mon père, Jean Bongrain, a 35 ans. Il est professeur.

Le 5 juillet 1913, il épouse Mathilde Gaillard, 25 ans, fille d'Antoine et de Noémie Gaillard, agriculteurs, mon grand-père et ma grand-mère. Mon père, lui, est orphelin. Mais il a une sœur, Marie, ma tante, rousse et professeur elle aussi : c'est de famille. À sa droite est leur cousin Charles. À 45 ans il n'est pas marié. Un personnage, lui ! Il est journaliste, c'est tout dire ! L'homme derrière mon grand-père, c'est mon oncle Paul, le frère de ma mère. Il a 32 ou 33 ans… À côté de lui, entre mon père et ma mère, c'est sa femme, Sophie. Son âge ? C'est un secret de famille… Ils sont commerçants. Voilà, vous connaissez toute la famille. Ah non ! Il y a aussi Médor, le chien de mes grands-parents.

Moi, je suis Jacques Bongrain. Je ne suis pas sur la photo de mariage de mes parents, bien sûr ! Aujourd'hui, j'ai 62 ans et je suis écrivain.

LES ARTICLES INDÉFINIS (PAS) DE/D'		
	un	frère.
	une	sœur.
J'ai	**des**	enfants.
	de	beaux livres.
	de	frère.
Je **n'**ai **pas**	**de**	sœur.
	d'	enfants.

LES NOMS DE PROFESSION			
masculin ou féminin		*masculin et féminin*	
un / une secrétaire		un acteur	une actrice
journaliste		chanteur	chanteuse
dentiste		infirmier	infirmière
pas de masculin		*pas de féminin*	
une hôtesse		un médecin	
		professeur	
		ingénieur	

 Est-ce qu'ils ont des enfants ?

Est-ce que Jean et Mathilde Bongrain ont une fille ?
→ *Non, ils n'ont pas de fille (mais ils ont un fils).*

1. Est-ce qu'Antoine et Noémie Gaillard ont des enfants ?
2. Est-ce que Jean Bongrain a un frère ?
3. Est-ce que Jean Bongrain a une tante ?
4. Est-ce que Sophie et le frère de Mathilde ont un fils ?
5. Est-ce que le père de Jacques Bongrain a une sœur ?
6. Est-ce que vous avez des frères, des sœurs, des enfants ?

 Vous avez une sœur ?

Posez des questions à un(e) autre étudiant(e) sur lui / elle et sur sa famille.

 Quelle est leur profession ?

Vous êtes Jacques Bongrain. Écoutez et répondez.

1. Votre cousin Charles, il est bien photographe ?
. . . .
2. Et votre tante Sophie, elle travaille ?
. . . .
3. Son mari travaille avec elle ?
. . . .
4. Vos parents, ce sont des agriculteurs ?
. . . .
5. Quelle est la profession de votre tante Marie ?
. . . .
6. Et vous, qu'est-ce que vous faites ?
. . . .

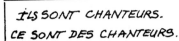

ILS SONT CHANTEURS.
CE SONT DES CHANTEURS.

ELLE EST INFIRMIÈRE.
C'EST UNE INFIRMIÈRE.

IL EST INGÉNIEUR
C'EST UN INGÉNIEUR.

ELLE EST DENTISTE
C'EST UNE DENTISTE.

« Je m'appelle Juana. Je suis de Valence. Je parle espagnol et aussi français. Je n'habite pas en Espagne mais à Paris. Je suis étudiante en informatique.

Kurt est de Munich. Il est allemand. Il parle allemand. C'est sa langue maternelle. Il habite à Cologne. Il est professeur.

7 ▶ **Qui sont-ils ? D'où sont-ils ?**

Maria / 30 ans / Portugal / Lisbonne / médecin.
→ Maria a 30 ans. Elle habite au Portugal. Elle est portugaise.
Elle parle portugais. Elle est de Lisbonne. Elle est médecin.

1. Andres et Lola / 25 ans / Espagne / Madrid / journalistes.
2. Hans et Otto / 34 ans / Allemagne / Hambourg / professeurs.
3. Ma sœur et moi / 18 et 20 ans / États-Unis / Chicago / étudiants.
4. Toi / 19 ans / Italie / Rome / actrice.
5. Vous / 37 ans / Grèce / Athènes / commerçant.

	Pays	Nationalité	Langue parlée
	l'Argentine	argentin(e)	l'espagnol
	le Brésil	brésilien(ne)	le portugais
	les États-Unis	américain(e)	l'anglais
	la France	français(e)	le français
	l'Italie	italien(ne)	l'italien

LES PRÉPOSITIONS + NOMS DE PAYS ET DE VILLES

- Nous habitons...
  - (+ pays masculin) — **au** Portugal / Brésil — **aux** États-Unis / Pays-Bas
  - (+ pays féminin) — **en** Allemagne / Grèce — (+ ville) — **à** Buenos Aires / Londres
- Nous venons... — **du** Mexique / **de** Grèce / **d'** Italie — **des** États-Unis / **de** Montréal / **d'** Amsterdam

⚠️ • à + le → au   à + les → aux   de + le → du   de + les → des.
• le Portugal → au Portugal, du Portugal.   • les États-Unis → aux États-Unis, des États-Unis.

8 ▶ **Parlez de vous.**

1. Vous êtes d'où ?
2. Quelle est votre nationalité ?
3. Vous parlez quelle(s) langue(s) ?
4. Vous habitez où ?
5. Vous avez quel âge ?
6. Vous êtes marié(e) ?
7. Vous avez des enfants ?
8. Combien ?
9. Quelle est votre profession ?

1. Regardez la bande dessinée.

Dites ce que vous voyez.

1. Qui sont les personnages ?
2. Où sont-ils ?
3. Que font-ils ?

2. Vrai ou faux ?

Écoutez le dialogue et répondez.

1. Christian et Thierry n'aiment pas le vélo.
2. Thierry vient souvent au club.
3. Thierry ne vient pas de Clermont-Ferrand.
4. Thierry n'a pas encore de travail à Paris.
5. Thierry habite à l'hôtel.
6. Christian habite dans le 15ᵉ.
7. Christian n'a pas de voiture.
8. Christian présente sa femme et sa fille à Thierry.

3. Les parents téléphonent.

Répondez pour Thierry.

1. – Allô ! C'est toi, Thierry ?

   – . . . .

2. – Alors, tu fais du vélo. Comment s'appelle ton club ?

   – . . . .

3. – C'est à Paris ?

   – . . . .

4. – Tu as des amis au club ?

   – . . . .

5. – Il est marié ? Il a des enfants ?

   – . . . .

6. – Elle aussi, elle fait du vélo ?

   – . . . .

7. – Ils habitent à Paris ?

   – . . . .

4. Dans quel ordre ?

Mettez ces événements dans le bon ordre.

1. Christian présente sa femme à Thierry.
2. Christian et Thierry font du vélo dans le bois.
3. Ils arrivent chez Christian.
4. Maryse arrive chez elle.
5. Christian et Thierry parlent chez Christian.

5. Qui êtes-vous, Thierry ?

Vous êtes Thierry et vous répondez à ces questions.

1. Votre profession, c'est quoi ?
2. Vous travaillez à Paris ?
3. Vos parents habitent où ?
4. Quelle est l'adresse de votre hôtel à Paris ?
5. Quel sport est-ce que vous aimez ?

PRÉSENT DES VERBES EN -ER		
« HABITER »		
J'	habit**e**	à Paris.
Tu	habit**es**	dans le 15ᵉ.
Il/Elle	habit**e**	en France.
Nous	habit**ons**	au Canada.
Vous	habit**ez**	aux États-Unis.
Ils/Elles	habit**ent**	où ?

 Verbes en **-er** (dits verbes du 1ᵉʳ groupe) : les trois personnes du singulier et la troisième personne du pluriel se prononcent de la même manière.

VIENS CHEZ MOI.
CHRISTIAN DELCOUR ET THIERRY FONT DU VÉLO DANS LE BOIS DE BOULOGNE.
BRAVO ! VOUS AIMEZ LE VÉLO, VOUS VOUS N'ÊTES PAS DÉBUTANT !
NON, PAS VRAIMENT...
VOUS VENEZ SOUVENT AU CLUB ?
NON, C'EST LA PREMIÈRE FOIS. JE NE SUIS PAS D'ICI...
QUELQUES INSTANTS PLUS TARD.
ALORS, TU VIENS D'OÙ ?
DE CLERMONT-FERRAND.
TU TRAVAILLES À PARIS ?
NON, JE N'AI PAS DE TRAVAIL. PAS ENCORE.
TROUVER DU TRAVAIL, C'EST DIFFICILE.
JE SAIS, MAIS JE SUIS COMPTABLE. C'EST UNE BONNE PROFESSION ET J'AI DES ADRESSES. ET TOI, QU'EST-CE QUE TU FAIS ?
MOI, JE SUIS INGÉNIEUR DES TRAVAUX PUBLICS. TU HABITES OÙ ? TU AS UN APPARTEMENT ?
NON, J'HABITE À L'HÔTEL RUE PASTEUR, DANS LE 15e
OH, MAIS J'HABITE À CÔTÉ ! DIS, J'AI MA VOITURE ICI. VIENS PRENDRE UN VERRE À LA MAISON.
PLUS TARD...
...CHEZ CHRISTIAN.
JE TE PRÉSENTE MA FEMME, MARYSE, ET VOILÀ MA FILLE, ÉMILIE. THIERRY, UN AMI DU CLUB.
THIERRY LAZURE, TRÈS HEUREUX.
BONJOUR. ENCHANTÉE
SALUT.
VOUS SAVEZ, THIERRY EST UN VRAI CHAMPION !
BON, VOS HISTOIRES DE VÉLO, MOI, HEIN...
ELLE N'AIME PAS LE VÉLO VOTRE FILLE !
OH ! ELLE, À PART LE ROCK...

2

PRÉSENT DE « VENIR »

Je	**vien**s	de Paris.
Tu	viens	de chez eux.
Il/Elle/On	vient	du 15ᵉ.
Nous	**ven**ons	de France.
Vous	venez	du Canada.
Ils/Elles	**vienn**ent	d'où ?

 « Venir » est un verbe irrégulier du 3ᵉ groupe

 7 **Ils se présentent.**

Mettez ensemble la formule de présentation et la réponse.

1. Jean, voilà Delphine.   **a.** Enchantée.

2. Jean, je te présente ma femme.   **b.** Salut.

3. Madame Deneuve, je vous présente   **c.** Très heureux.
Monsieur Dupuis.

6 **Vous venez d'où ? Vous habitez où ?**

1. Christian travaille où ?

2. Les deux amis arrivent chez Christian. Ils viennent d'où ?

3. Les Delcour habitent où ?

4. Et vous, vous venez d'où ? Vous habitez où ?

5. Vos parents habitent où ?

 8 **On vous présente !**

Répondez à ces présentations.

1. Voilà Coralie.

2. Je te présente Coralie Girard.

3. Je vous présente Mademoiselle Girard.

4. Elle, c'est Coralie.

FAITES LA DISTINCTION ENTRE « TU » ET « VOUS »

Utilisez :

tu : entre membres de la même famille, entre amis, entre collègues.

vous : à la première rencontre, entre personnes d'âge ou de conditions sociales différents.

 Vous venez avec moi ? ⟶ une seule personne = « vous » de politesse.
⟶ deux personnes ou plus = « vous » pluriel.

 Dire « tu » = se tutoyer.
Dire « vous » = se vouvoyer.

9 « Vous » ou « tu » ?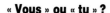

Écoutez. Dites s'ils se vouvoient ou s'ils se tutoient.

10 Qu'est-ce que vous dites dans ces situations ?

Jouez les scènes avec d'autres étudiants.

1. Un ami vous présente Émilie à un concert de rock.
2. Vous êtes ingénieur. Vous travaillez avec Christian Delcour. Saluez Christian.
3. Un ami vous présente la secrétaire du Bicyclub.

11 À la terrasse d'un café.

Émilie parle de Thierry à une de ses amies. L'amie pose des questions. Thierry arrive...

– *Tu sais, mon père fait du vélo avec un garçon super.*
– *Ah oui ! Comment est-ce qu'il... ?*

12 Jeu de rôle.
Bonjour, madame.

Un ami français vous invite à dîner chez lui. Il vous présente sa femme. Elle vous demande où vous habitez, d'où vous venez, quelle est votre profession...

DES SONS ET DES LETTRES

■ **Liaisons**

Dernière consonne (non prononcée dans le mot isolé) + voyelle initiale du mot suivant.

son appartement – leurs amis – Ils ont des adresses.

■ **Enchaînements**

Dernière consonne prononcée + voyelle initiale.

Mon frèr(e) (h)abit(e) à Clermont dans leur appartement.

☐ Recopiez les phrases suivantes. Marquez les liaisons et les enchaînements et prononcez-les. Puis écoutez l'enregistrement.

Il s'appelle Éric. Il habite à Paris. Il est dans une agence de publicité. Il a des amis à Paris. Sa sœur habite à Nice. Ses parents sont à Nice aussi. Ils ont des enfants.

■ **Un son change, le sens change.**

		[ɛ̃]	→	[ɛn]
singulier → pluriel	*Il vient*	→	*Ils viennent*
masculin → féminin	*Un Italien*	→	*Une Italienne*
	Un Américain	→	*Une Américaine*

		[a] / [ə]	→	[ɛ]
singulier → pluriel	*Sa sœur*	→	*Ses sœurs*
	Le vélo	→	*Les vélos*

■ **L'intonation change, le sens change.**

Déclaration	Question
Tu as des amis.	*Tu as des amis ?*
Il n'est pas marié.	*Il n'est pas marié ?*

☐ Écoutez et transformez les phrases en questions. Changez l'intonation.

LECTURES

ANTICIPEZ

1 **Regardez les trois photos** de la page 31.

1. Qui est le joueur de tennis ?
2. Qui est la vedette de cinéma ?
3. Qui est le pilote de Formule 1 ?

2 **Le texte sous la photo (la légende) présente le personnage** (nom, âge, profession, qualités, etc.).

Lisez les trois légendes.
Quels mots est-ce que vous reconnaissez ?
Faites la liste de ces mots (mots internationaux, mots appris, mots devinés).

RECHERCHEZ LES FAITS

3 **Lisez la présentation d'Henri Leconte.**

1. Il joue à quoi ?
2. Sur la photo, il joue contre qui ?
3. Qui est Yannick Noah ?
4. Quelle est son ambition ?

4 **Lisez le texte sur Sophie Marceau.**

1. Quel âge a-t-elle sur la photo ?
2. Quelle est sa profession ?
3. C'est une bonne actrice ?
4. Quelle est son ambition ?

5 **Lisez la légende de la photo d'Alain Prost.**

1. Quel âge a-t-il ?
2. C'est une vedette de quel sport ?
3. Quels sont les titres d'Alain Prost en Formule 1 ?
4. Quelles sont ses qualités de pilote ?

INTERPRÉTEZ

6 **Qui est-ce ?**

Devinez qui sont les personnages ci-dessus.

1. C'est une « star » du sport. Il est américain. C'est un coureur exceptionnel. Il est champion du monde du 100 mètres.
2. C'est une grande vedette du cinéma français. C'est l'acteur préféré des Françaises.
3. C'est une grande championne. Elle est allemande. Elle est le numéro 1 du tennis féminin.

Réponses :

1. Carl Lewis. – 2. Alain Delon. – 3. Steffi Graff.

2

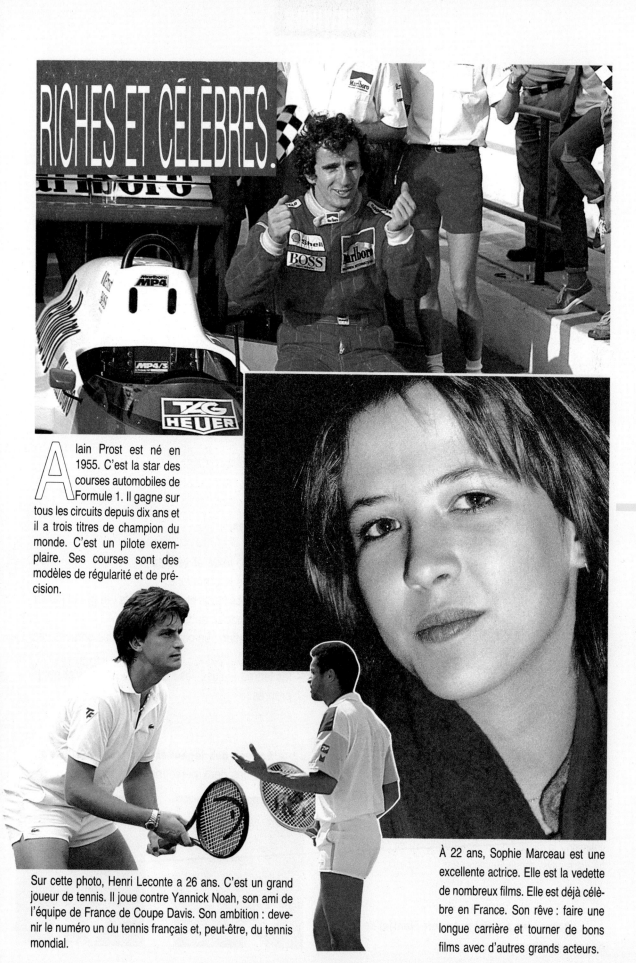

RICHES ET CÉLÈBRES.

Alain Prost est né en 1955. C'est la star des courses automobiles de Formule 1. Il gagne sur tous les circuits depuis dix ans et il a trois titres de champion du monde. C'est un pilote exemplaire. Ses courses sont des modèles de régularité et de précision.

Sur cette photo, Henri Leconte a 26 ans. C'est un grand joueur de tennis. Il joue contre Yannick Noah, son ami de l'équipe de France de Coupe Davis. Son ambition : devenir le numéro un du tennis français et, peut-être, du tennis mondial.

À 22 ans, Sophie Marceau est une excellente actrice. Elle est la vedette de nombreux films. Elle est déjà célèbre en France. Son rêve : faire une longue carrière et tourner de bons films avec d'autres grands acteurs.

Présentez votre vedette préférée.

Vous ne connaissez pas toutes les vedettes françaises du sport, de la danse, de la chanson, du cinéma... Mais les Français ne connaissent pas toutes vos stars !

Maradona.

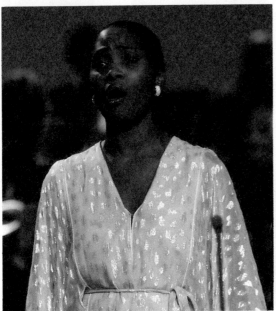

Barbara Hendricks.

Greg Lemond.

7 **Quelle vedette présenter ?**

Choisissez une de vos vedettes préférées et répondez à ces questions.

1. Quel âge a-t-il/a-t-elle ?
2. Quelle est sa nationalité ? De quel pays est-il/elle ?
3. Quelle est sa profession ?
4. Où est-ce qu'il/elle joue / chante / danse / court ?
5. Quels sont ses titres, sa réputation, ses qualités ?
6. Quelle est son ambition ? Quel est son rêve ?

8 **Relisez les trois légendes** de la page précédente et écrivez votre texte de présentation.

Exemple : À (âge) ans, (nom) est la (grande) vedette de (la chanson / la danse / du cinéma / du sport) en / au (le nom de votre pays) depuis (nombre) ans.

9 **Demandez à un(e) autre étudiant(e)** de lire et de critiquer votre texte.

10 **Révisez.**

Révisez votre texte et vérifiez :
– l'ordre des informations ;
– l'accord des noms et des adjectifs (un grand joueur / une grande vedette) ;
– la ponctuation : un point (.) à la fin des phrases, les virgules (,), etc. ;
– les lettres majuscules : début de phrases et noms propres.

11 **Écrivez des légendes** pour accompagner les photos de ces deux personnages. Imaginez...

Mémoires d'ordinateur

— Non !

Catherine se lève, sort de son bureau. Elle arrive devant une porte et elle frappe.

— Entrez !

— Monsieur Pascal, tout mon travail… Tout, disparu ! Il n'y a plus rien sur le disque !

— Pas de panique, Catherine, pas de panique. J'arrive.

Gérard Pascal ferme la porte. Dans le bureau, Sylvie Sinclair et Philippe Dutour ont les yeux fixés sur l'écran d'un ordinateur. Ils ont l'air soucieux. Philippe Dutour résume la situation.

— C'est la troisième fois cette semaine !…

— Sortez cette fiche, dit Gérard Pascal.

Ils ne parlent pas. Heureusement, il y a le bruit de l'imprimante !

Sylvie prend la fiche et lit à haute voix :
« Éric Legrand, Français, 35 ans, célibataire. Adresse, 15 rue du Dragon, Paris, 6e, tél. 43.26.17.30, polytechnicien, ingénieur informaticien, spécialiste anti-sabotage en informatique depuis 1978. »

— Téléphonez-lui tout de suite.

Il a de la classe, Éric Legrand. Grand, brun, sportif. Il entre dans l'immeuble de la société TGM et va au bureau d'accueil.

— Bonjour, mademoiselle, Éric Legrand, je…

— Ah oui ! Monsieur Legrand. On vous attend. Bureau 25.

— Merci.

Qui c'est « on » ? se demande Éric. « Bureau 25, c'est ici. »

« On », c'est Sylvie, Gérard et Philippe. Ils se lèvent tous les trois.

— Monsieur Legrand, je suis Gérard Pascal, directeur de recherche. Permettez-moi de vous présenter mes collaborateurs, mademoiselle Sylvie Sinclair et monsieur Philippe Dutour.

— Bonjour, mademoiselle, enchanté. Bonjour, monsieur.

— Bonjour, monsieur Legrand.

— Bon, asseyons-nous. Attendez un instant. Gérard se lève et ouvre la porte.

— Brigitte, pas de téléphone. Je ne suis là pour personne.

La France, un hexagone

3 frontières maritimes

3 frontières terrestres

Cordes (Tarn)

Vernet-les-Bains (Pyrénées). ▲

▼ Le port de Roscoff (Finistère).

▼ Des vignes en Alsac

A

F

PARIS

LILLE

ROUEN

NANCY

STRASBOURG

B

Seine

RENNES

NANTES

Loire

Saône

E

BORDEAUX

Dordogne

Garonne

Tarn

Rhône

LYON

GRENOBLE

NICE

C

TOULOUSE

MARSEILLE

D

La France en Europ

Distances (en kilomètres)

Paris – Londres : 350 km
Paris – Berlin : 900 km
Paris – Rome : 1 100 km
Paris – Moscou : 2 500 km

NORVÈGE

FINLANDE

MER DU NORD

SUÈDE

IRLANDE

ROYAUME UNI

DANEMARK

MER BALTIQUE

LONDRES

PAYS-BAS

BELG.

BERLIN

R.D.A

POLOGNE

OCÉAN ATLANTIQUE

PARIS

R.F.A

TCHÉCO-SLOVAQUIE

FRANCE

SUISSE

AUTRICHE

HONGRIE

ROUMANIE

MER CASPIE

ITALIE

YOUGOSLAVIE

MER NOIRE

PORTUGAL

ESPAGNE

CORSE

ROME

BULGARIE

TURQUIE

MER MÉDITERRANÉE

MER IONIENNE

MER ÉGÉE

GRÈCE

SYRIE

IRAC

MAROC

ALGÉRIE

TUNISIE

Capitale : 8 500 000 habitan
dans l'agglomération
(Paris + banlieue)
2 277 300 habitants
(Paris intra-muros)

Superficie :
544 000 kilomètres carrés (k

Population :
55,7 millions d'habitants

◀ *Champ de blé en Auvergne.*

OÙ EST-CE ?

DOSSIER

3

Un bureau fou, fou, fou...

 Qu'est-ce qu'il dit ?

Regardez le bureau « sens dessus dessous », écoutez les déclarations du monsieur et montrez les meubles et les objets sur le dessin.

DANS	SUR	SOUS	AU-DESSUS	AU-DESSOUS	DEVANT
DERRIÈRE	AU MILIEU	À GAUCHE	À DROITE	PAR TERRE	CONTRE

 Complétez ces phrases.

1. Il entre . . . . . son bureau.
2. Il y a une étagère . . . . . la porte.
3. La chaise est . . . . . le mur.
4. L'armoire est . . . . . la fenêtre.
5. À droite, il y a un bureau . . . . le mur.
6. Il y a des dossiers . . . .
7. L'ordinateur est . . . . . la porte.
8. Il y a une table . . . . . la pièce.

 Qu'est-ce qu'il y a dans ce bureau ?

*Devant la porte ? → **Il y a** un ordinateur.*

1. Au-dessus de la porte ?
2. Debout contre le mur ?
3. Sur le mur à gauche ?
4. Au milieu de la pièce ?
5. Par terre ?
6. Sur la table ?
7. Devant la fenêtre ?
8. Sous la fenêtre ?

 Ce bureau est bizarre, non ?

le fauteuil → Il y a un fauteuil sur la table !

1. le téléphone
2. les dossiers
3. l'armoire
4. le bureau
5. les affiches
6. l'étagère
7. la chaise
8. la pendule

 Quel bureau !

L'agent de police et le monsieur arrivent dans le bureau. Décrivez la pièce.

Il y a un bureau contre le mur à gauche. / Le bureau est contre le mur à gauche.

 Trouvez les questions.

Il est debout contre le mur. → Où est le bureau ?
Il y a un ordinateur. → Qu'est-ce qu'il y a devant la porte ?

1. Il y a des étiquettes.
2. Elle est au-dessus de la porte.
3. Elles sont devant la fenêtre.
4. Il y a une armoire.
5. Il y a des livres et des dossiers.
6. Il y a un fauteuil.
7. Il est sur la lampe.
8. Il y a un ordinateur.

 Où sont les meubles ?

Demandez à un(e) autre étudiant(e).

Où est l'ordinateur ? → Il est devant la porte.
. . . .

Un bureau fou fou fou !

– Ce matin, j'entre dans mon bureau, et qu'est-ce que je vois ? Tout est sens dessus dessous et il y a des étiquettes sur tous les meubles ! L'étagère est au-dessus de la porte, il y a des affiches devant la fenêtre et une chaise sur le mur ! À gauche, il y a une armoire sous la fenêtre. Ma pendule est sous la chaise, mon bureau est debout contre le mur à droite. Les livres et les dossiers sont par terre, mon fauteuil est sur la table au milieu de la pièce, le téléphone est sur la lampe et mon ordinateur est devant la porte ! C'est fou, non ?

– Je vois…

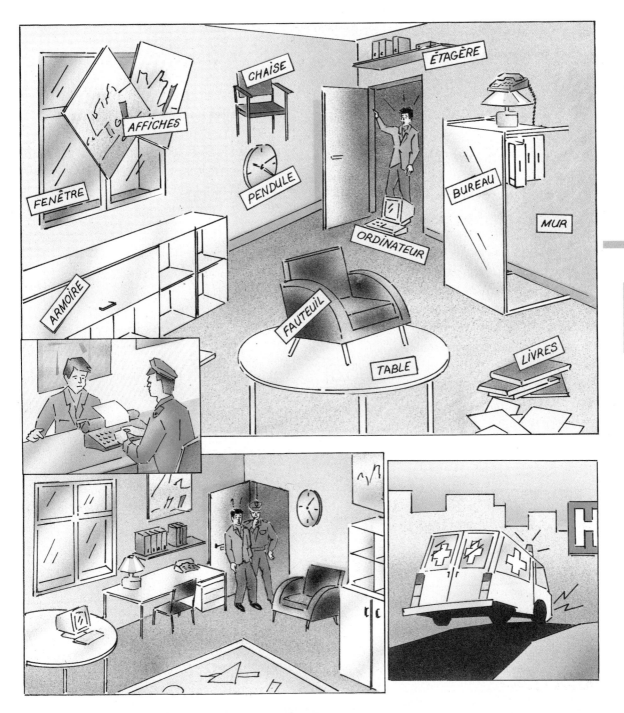

LES ADJECTIFS DÉMONSTRATIFS

	masculin	féminin
Singulier	**ce** dossier **cet** ordinateur	**cette** affiche
Pluriel	**ces** dossiers	**ces** affiches

« ILS SONT À VOUS, CES MEUBLES ? »

8 ▶ **On place les meubles et les objets !**

Complétez ces phrases avec des adjectifs démonstratifs.

1. Mettez . . . . . bureau à gauche contre le mur.
2. Mettez . . . . . chaise devant le bureau.
3. Mettez . . . . . téléphone et . . . . . lampe sur le bureau.
4. Mettez . . . . . étagère au-dessus du bureau.
5. Mettez . . . . . livres sur l'étagère.
6. Mettez . . . . . affiche au-dessus de l'étagère.
7. Mettez . . . . . table sous la fenêtre.
8. Mettez . . . . . ordinateur sur la table.
9. Mettez . . . . . pendule sur le mur à droite de . . . . . porte.
10. Mettez . . . . . chaise sous la pendule.
11. Mettez . . . . . armoire contre le mur de droite.
12. Mettez . . . . . dossiers dans l'armoire.

Puis écoutez et vérifiez vos réponses.

9 ▶ **Mettez les meubles à leur place !**

Reproduisez le dessin de la pièce vide sur une feuille de papier. Puis réécoutez les indications de l'exercice 8 et écrivez le nom des meubles à leur place dans la pièce.

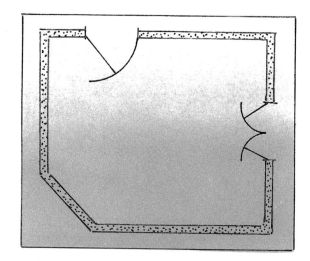

VERBE « METTRE »

PRÉSENT			IMPÉRATIF
Je/Tu	**met**s		Met**s**
Il/Elle/On	met		
Nous	**mett**ons	le lit ici.	Mett**ons**
Vous	mettez		Mett**ez**
Ils/Elles	mettent		

⚠ « Mettre » est un verbe irrégulier (du 3e groupe).

IL Y A un / une / des...

Il y a une table devant la fenêtre.
Il y a un ordinateur par terre.
Il y a des dossiers par terre.

IL N'Y A PAS de / d'...

Il n'y a pas de table...
Il n'y a pas d'ordinateur...
Il n'y a pas de dossiers...

– *Il n'y a pas de porte dans cette pièce ?*
– *Mais si, il y a une porte. Regardez.*

RÉPONSE AFFIRMATIVE
À UNE QUESTION NÉGATIVE → SI

Il n'y a pas de bureaux ?
→ (Mais) **Si**, il y a des bureaux.

 Un bureau en ordre.

Comparez le bureau en ordre et le bureau en désordre (page 37).

Dans le bureau en ordre : il n'y a pas de bureau debout contre le mur. Le bureau est contre le mur à gauche.

 Meublez votre chambre !

Deux étudiants dessinent les murs et la porte de la chambre ci-dessous. Puis un étudiant place des meubles dans la chambre. L'autre étudiant demande où sont les meubles et les place sur son dessin. Ensuite les deux étudiants comparent leurs dessins.

UN LIT   DES RIDEAUX   UN TAPIS

UN TABLEAU   UN FAUTEUIL   UNE CHAISE   UNE TABLE BASSE

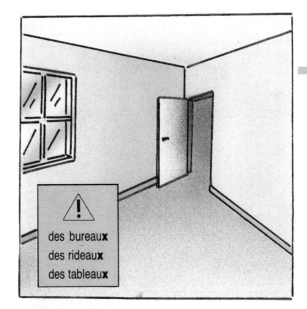

des bureaux
des rideaux
des tableaux

Un étudiant demande : « Je mets ce lit où ? »
L'autre étudiant répond : « Mets ce lit à gauche contre le mur. »

 Qu'est-ce qu'il y a dans la classe ?

Il n'y a pas de chaises ? → Si, il y a des chaises.

1. Il n'y a pas d'affiches ?
2. Il n'y a pas de livres ?

Continuez...

LA ROUE TOURNE

1 Qu'est-ce qu'on voit sur les dessins ?

Regardez la bande dessinée et essayez de deviner l'histoire.

2 Quel est cet immeuble ?

1. Thierry frappe à la porte de la loge. Qui ouvre ?
2. Quels animaux y a-t-il dans l'immeuble ?
3. À quel étage est l'appartement de Thierry ?
4. Comment est-ce qu'on monte chez lui ?
5. C'est à qui de monter les meubles ?
6. Où est-ce que les livreurs mettent les meubles ?
7. Quel est le problème ?

3 On prend l'ascenseur ou l'escalier ?

1. . . . .   2. . . . .
3. . . . .   4. . . . .

4 Vrai ou faux ?

Corrigez les affirmations fausses.

1. Dans cet immeuble, il y a une concierge.
2. Thierry n'habite pas au sixième étage.
3. Les livreurs prennent l'ascenseur.
4. Les livreurs mettent le canapé près de la porte.
5. C'est à Thierry de placer ses meubles.
6. Il y a des animaux dans l'immeuble.

5 C'est une erreur !

Complétez le texte suivant.

Thierry Lazure est le nouveau . . . . . . Il se présente à la . . . . . de l' . . . . . . Heureusement, Thierry n'a pas d' . . . . . . Des livreurs . . . . . leur camion devant la porte. Thierry habite au . . . . . . Les livreurs montent les . . . . . par l'escalier. Il y a un canapé, deux . . . . . , une . . . . . , et six . . . . . . Pas de chance pour Thierry ! Ce ne sont pas ses . . . . . . Il y a . . . . . !

VERBE « PRENDRE »		
	PRÉSENT	**IMPÉRATIF**
Je/tu	**prend**s	**Prends**
Il/elle	prend	
Nous	**pren**ons	**Prenons**
Vous	prenez	**Prenez**
Ils/elles	**pren**nent	

⚠ « Prendre » est un verbe irrégulier (du 3e groupe).

6 Qu'expriment ces phrases ?

Écoutez l'enregistrement et choisissez chaque fois une des possibilités suivantes :

1. l'irritation,   3. la protestation,   5. la surprise,
2. le refus,   4. l'excuse,   6. l'indifférence.

MONTEZ PAR L'ESCALIER !

OUI, VOILÀ, J'ARRIVE. QU'EST-CE QUE C'EST ?

MIAAW

CONCIERGE

TOC TOC TOC TOC

EUH... BONJOUR MADAME, JE SUIS THIERRY LAZURE, LE NOUVEAU LOCATAIRE.

AH, C'EST VOUS LE NOUVEAU. VOUS ÊTES CÉLIBATAIRE HEIN ?

OUI... OUI, MADAME.

VOUS N'AVEZ PAS D'ANIMAUX J'ESPÈRE ?

NON, MADAME, JE N'AI PAS D'ANIMAUX.

IL Y A DÉJÀ TROIS CHATS ET DEUX CHIENS. CE N'EST PAS UN IMMEUBLE, C'EST UN ZOO !

BON, EH BIEN, AU REVOIR MADAME... MADAME ?

DUBOISSEC.

AU REVOIR MADAME D.U.B.O.I.S.S.E.C.

QUELQUES JOURS PLUS TARD...

EH ! ON NE GARE PAS DE VOITURE ICI !

MAIS, MADAME, ON TRAVAILLE, NOUS !

MOI AUSSI, JE TRAVAILLE !... ALORS, C'EST POUR QUOI ?

HAUT BAS

ON LIVRE CES MEUBLES CHEZ M. LAZURE. C'EST BIEN AU CINQUIÈME ÉTAGE ?

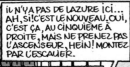

IL N'Y A PAS DE LAZURE ICI... AH, SI ! C'EST LE NOUVEAU. OUI, C'EST ÇA, AU CINQUIÈME À DROITE, MAIS NE PRENEZ PAS L'ASCENSEUR, HEIN ! MONTEZ PAR L'ESCALIER.

ÇA VA. D'ACCORD. ON SAIT.

PAS AIMABLE, LA CONCIERGE !

AU CINQUIÈME ÉTAGE.

DITES, ON EST LIVREURS, PAS DÉMÉNAGEURS ! CE N'EST PAS À NOUS DE PLACER CES MEUBLES. C'EST À VOUS !

METTEZ CETTE TABLE À GAUCHE PRÈS DE LA FENÊTRE ET... EUH... CE CANAPÉ À DROITE DEVANT LE RADIATEUR. NON, NON... PRÈS DE LA PORTE.

DANS LA CHAMBRE DE THIERRY...

ALORS, ON MET CE LIT OÙ ? AU MILIEU DE LA PIÈCE OU CONTRE LE MUR ?

QU'EST-CE QUE VOUS EN PENSEZ ?

OH ! MOI, HEIN... ALLEZ, AU MILIEU, C'EST SA PLACE.

MAIS CE NE SONT PAS MES MEUBLES !

COMMENT ÇA, C'EST PAS VOS MEUBLES !

MAIS C'EST VRAI ! IL Y A UNE ERREUR. EXCUSEZ-NOUS.

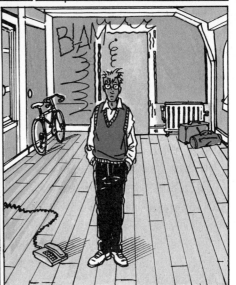

BLAM

3

LES ADJECTIFS ORDINAUX

1er / 1re	2^e	3^e	4^e	5^e
premier/ère	deuxième	troisième	quatrième	cinquième...
10^e	**11e**	**12e**	**13e**	**20e**
dixième	onzième	douzième	treizième ...	vingtième...

⚠ Les pronoms numéraux ordinaux :
le premier (1er)   les premiers (1ers)   le / la deuxième (2e)
la première (1re)   les premières (1res)   les deuxièmes (2es)

7 **À quel étage ?**

Demandez à un(e) autre étudiant(e) où habitent ces personnes.

▶

8 **Ce n'est pas à moi de faire ça !**

Un(e) étudiant(e) vous donne des ordres. Vous répondez.

– *Mettez ce bureau en ordre !*
– *Ce n'est pas à moi de mettre ce bureau en ordre. C'est à...*

1. Indiquer l'étage.
2. Placer les meubles.
3. Inviter les parents de Thierry.
4. Répondre au téléphone du club.
5. ...

9 **Qu'est-ce que vous dites dans ces situations ?**

Jouez les scènes avec un(e) autre étudiant(e).

1. Vous garez votre voiture devant une porte. Une personne de l'immeuble n'est pas contente... Vous répondez (erreur, pas de place, vous travaillez...).
2. Vous placez vos meubles. Vous demandez l'opinion d'un ami. Il hésite. Il n'a pas d'opinion...
3. Vous cherchez votre vélo. Il y a un autre vélo à sa place. Votre ami explique (erreur, vélo à une autre place, bien chercher...).

10 Jeu de rôle.
Monsieur Bertet habite ici ?

Vous cherchez un ami dans un immeuble. Vous frappez à la loge de la concierge. La concierge arrive. Elle hésite : « Monsieur Boutet ? – Non, monsieur... (épelez le nom correctement). C'est le nouveau locataire... » Elle vous indique l'étage et la porte. Il y a un ascenseur. Votre ami est là. Surprise...

11 Jeu de rôle.
Où est-ce qu'on livre ?

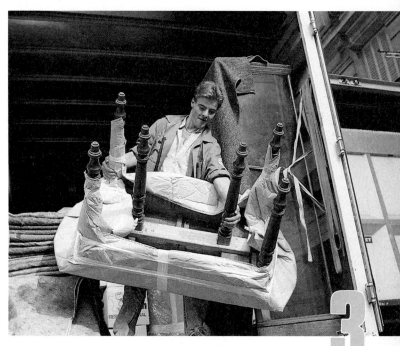

Vous êtes vendeur (ou vendeuse). Vous demandez à un acheteur son nom, son adresse, son étage, s'il y a une concierge dans son immeuble, s'il y a un ascenseur...

DES SONS ET DES LETTRES

■ **Les lettres « s » et « x » entre deux voyelles se prononcent [z].**

☐ Prononcez : troisième, chaise, amusant, deuxième, exemple.

■ **o / au / eau / aux = [o], ou = [u], oi = [wa].**

☐ Prononcez les phrases suivantes, puis écoutez et répétez.

Où est l'armoire ? Dans le bureau, à gauche.

Où sont les rideaux ? Sous le bureau, à droite.

Où est le bureau ? Il est debout à gauche de l'armoire.

■ **Lettres muettes**

Ne prononcez pas le h : *un (h)ôtel, (h)abiter*

⚠ mais ch = [ʃ] *une chaise, une fiche*
ph = [f] *une photo, le téléphone*

☐ Prononcez les phrases suivantes, puis écoutez et répétez.

Pa(s) aimabl(e), madam(e) la concierg(e).

On me(t) cet(te) chais(e) près du li(t).

Tout e(st) sen(s) d(e)ssu(s) d(e)ssou(s).

Il y a un(e) photo dan(s) sa chambr(e) d'(h)ôtel.

■ **Intonation**

☐ Écoutez et dites s'il s'agit de surprise, d'irritation ou d'hésitation. Puis répétez la phrase.

1 **Lisez** la première annonce et indiquez le nom des pièces.

2 **Écrivez** les troisième et quatrième annonces sans abréviations.

3 **Il y a des appartements à vendre !**

1. Quelle agence vend les vingt-quatre appartements ?
2. Quelle est l'adresse de l'agence ?
3. Où sont les appartements ?
4. Il y a une piscine à côté de l'immeuble ?
5. Est-ce que les appartements ont une vue sur la mer ?
6. Où est le bureau de vente ?
7. Quel est le numéro de téléphone du bureau de vente ?
8. À qui écrire pour avoir une documentation ?

4 **Quelles offres pour quelles demandes ?**

Trouvez l'offre correspondant à chacune des demandes.

1. Demande n° 1 : offre n° . . . .
2. Demande n° 2 : . . . .
3. Demande n° 3 : . . . .
4. Demande n° 4 : . . . .

5 **Écrivez une annonce** pour louer l'appartement ci-dessous.

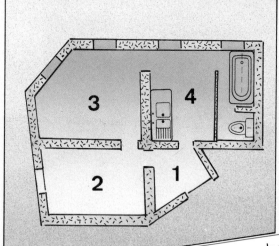

CANNES - CROIX DES GARDES

24 appartements de Luxe.
Vue mer et Estérel
Piscine, calme

VILLA FONT DE VEYRE

Bureau de vente sur place :
26-28, av. Font de Veyre
06400 CANNES
Tél. 93.90.20.96

SERIMER

Pour une documentation gratuite,
écrivez à SERIMER, 10 rue Marceau
06400 CANNES - Tél. 93.68.10.31

Nom . . . .
adresse . . . .
. . . ., Tél. . . . .

6 **Vous cherchez une maison individuelle** pour une famille de cinq personnes : parents et trois grands enfants. La famille a besoin d'un garage. Écrivez une annonce (sans abréviations).

7 **Vous cherchez un petit appartement** ou un studio (appartement d'une seule pièce) meublé (= avec meubles et cuisine équipée). Écrivez l'annonce.

Nos Petites Annonces

1. Dans immeuble moderne beau 3 pièces, entrée, grand séjour, 2 chambres, cuisine équipée, salle de bains, terrasse 24 m², 5ᵉ étage avec ascenseur, parking. Écrire Syndicat d'initiative, 84 Sanary.

2. À louer superbe appartement tout confort, séj. 40 m², cuisine équipée, 4 ch., 2 bains, gde ter., 1ᵉʳ étage, garage 2 voitures, dans parc avec piscine. Écrire boîte postale 719.

LOCATIONS (OFFRES)

3. Loue belle maison tt conf., 5 p., s. bains, cuis. mod., gd séj., 4 ch., ter. 50 m², belle vue, 2 gar., tennis, calme. Écrire B.P. 527.

4. Particulier loue petite villa tt conf., 2 p., s. bains, cuis. éq., gde ter., park., dans copropriété avec pisc. Tél. 93.70.61.59.

LOCATIONS (DEMANDES)

1. Cherche pt appt ou villa, conf., park.

2. Cherche gd appt tt conf. avec gar. et piscine.

3. Ch. gde villa 5/6 p., tt conf., cuis. éq., gar.

4. Ch. location appt 2/3 p., ét. élevé, avec parking.

3

Demandez et donnez
des renseignements par lettre.

Les Coulomb cherchent un appartement à louer à Sanary. Monsieur Coulomb écrit au Syndicat d'Initiative.

SANARY *en bref*

> M. Coulomb
> 3 rue du Four
> 75006 PARIS
>
> Paris, le 15 février 1990
>
> Syndicat d'Initiative
> 84 SANARY
>
> Monsieur,
>   Je cherche un appartement
> à louer à Sanary.
>   Nous sommes quatre, ma
> femme, moi et nos deux enfants. Ils
> ont deux et cinq ans. Nous avons besoin
> d'une salle de séjour, de deux chambres
> avec salle de bains et d'une cuisine
> équipée.
>   Qu'y a-t-il à louer ? Quels
> sont les prix ?
>   Avec mes remerciements, veuillez
> agréer, Monsieur, l'expression de mes
> sentiments distingués.
>   J. Coulomb

3.1

8   **Quelques jours plus tard...**

Le Syndicat d'Initiative de Sanary répond à Monsieur Coulomb. Complétez la lettre.

> ------------------
> ------------------
>   ------------------
>   ------------------
>
> ------------
>
>   Nous vous remercions de votre lettre du 15 février.
>
>   Nous avons un appartement à louer. Il est au cinquième....
> ....
> ....
>
>   Le prix de location est de 4.500 francs par mois.
>
>   Si vous êtes intéressé, donnez-nous votre réponse rapidement
> si possible.
>
>   ....
>
>   Le directeur

9   **Vous avez besoin d'un appartement comme celui de l'annonce n° 1 (locations-offres).**

Écrivez à l'agence immobilière.

10   **Vous êtes employé de l'agence immobilière.**

Vous répondez négativement à la demande et vous présentez la villa de l'annonce n° 4. Mettez la date, l'adresse de votre destinataire, votre adresse et complétez la lettre.

Mémoires d'ordinateur

Éric se lève. Il va à la fenêtre, puis il se retourne.

— Vous travaillez depuis un an sur un projet de sous-marin ultra-moderne, capable de descendre à cinq mille mètres, équipé de laboratoires d'analyse très perfectionnés. Vous présentez votre projet au gouvernement dans deux ans. Trois autres entreprises travaillent sur le même projet. C'est bien ça ?

— Exactement.

— Bien. Depuis deux mois vous perdez tous les calculs réalisés avec le logiciel X2-340.

— C'est ça. Deux mois de travail pour rien !

— Première hypothèse : une des trois entreprises est la cause de ces incidents.

— C'est possible... mais nous savons qu'elles ont les mêmes problèmes depuis deux mois.

— Je vois... Deuxième hypothèse : un pays étranger a intérêt à saboter vos recherches.

— Pourquoi pas ? Ce sous-marin est capable de changer la face du monde...

— Il y a une troisième hypothèse : une vengeance personnelle, un ancien membre de votre personnel...

— C'est peu probable. Mais... c'est une possibilité.

— Je peux visiter la salle des ordinateurs ?

— Certainement. Sylvie, accompagnez monsieur Legrand.

Sylvie et Éric sortent du bureau.

— Oh ! monsieur Legrand, je vais quelques instants dans mon bureau. La salle des ordinateurs est au cinquième étage. Prenez l'ascenseur dans le couloir à droite. J'arrive tout de suite.

Éric regarde les ingénieurs devant leurs ordinateurs. Il y a cinq hommes et trois femmes.

« Il ne sont pas très nombreux », pense-t-il.

— Ce n'est qu'une partie de l'équipe. Il y a d'autres ingénieurs au deuxième étage.

— Vous lisez dans les pensées des gens ?

— Pardon ?

— Rien, rien... Dites-moi, pourquoi est-ce que nous commençons par le cinquième et pas par le deuxième ?

— Parce que l'autre équipe n'a pas de problèmes.

— Ils utilisent le même logiciel ?

— Non. Pas encore.

— Je vois...

3

1 Au bureau d'accueil d'une conférence.

La secrétaire demande confirmation des renseignements inscrits sur la fiche du participant. Jouez la scène avec un(e) autre étudiant(e).

2 Qui parle à qui ?

Écoutez et dites à quelle situation correspond chaque conversation.

3 Décrivez la famille Loriot.

Indiquez la place des personnes sur le dessin et dites qui elles sont.

4 Interdisez à quelqu'un de...

1. ... garer sa voiture devant votre porte.
2. ... prendre l'ascenseur dans votre immeuble.
3. ... entrer chez vous.
4. ... mettre des objets sur la table.

DES MOTS ET DES FORMES

5 Donnez le féminin des mots suivants.

1. frère   **3.** fils   **5.** mari   **7.** père
2. oncle   **4.** cousin   **6.** grand-père

6 Donnez le masculin des mots suivants.

1. dessinatrice   **5.** championne
2. secrétaire   **6.** excellente
3. joueuse   **7.** chilienne
4. femme   **8.** longue

7 Complétez les phrases avec la forme correcte du verbe entre parenthèses.

Les livreurs (arriver). Ils (avoir) des meubles pour Thierry. « Ne (garer) pas votre camion devant la porte, (dire) la concierge, et ne (prendre) pas l'ascenseur ! »

Les livreurs (monter) les meubles au 5e et les (mettre) dans l'appartement de Thierry.

Mais il y (avoir) erreur ! Ce ne (être) pas ses meubles ! Thierry (rester) seul avec son vélo.

OÙ VONT-ILS ?

DOSSIER

4

Est-ce qu'il y a une poste... ?

1 ▶ Quels sont ces bâtiments ?

Écoutez, puis dites le nom de ces bâtiments.

1. Elle est au coin de la rue Centrale et de la rue du Marché, à côté du parc.

2. Il est en face de la poste, entre l'hôtel et un magasin.

3. Il est au bout de la rue du Marché.

4. Il est dans la rue du même nom.

5. Il y a un restaurant à côté et ce n'est pas le marché.

6. Elle est à côté du café dans la rue des Fleurs.

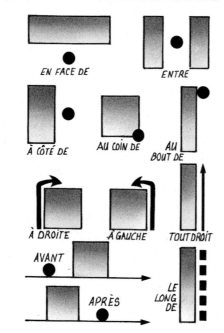

4

PRÉSENT de « ALLER »			
Je	**vais**	Nous	**allons**
Tu	**vas**	Vous	**allez**
Il/Elle	**va**	Ils/Elles	**vont**

⚠ « Aller » est un verbe irrégulier (3e groupe).

2 ▶ Où vont-ils ?

Des gens demandent leur chemin à l'agent. D'après les réponses, dites où ils vont.

1. Allez tout droit. Traversez le carrefour. C'est sur votre gauche après le supermarché.

2. Prenez la première rue à droite. C'est entre la banque et le marché.

3. Tournez à la première rue à gauche. C'est après le café.

4. C'est au carrefour, sur le trottoir de la mairie.

5. C'est au coin de la rue des Fleurs, en face de la mairie.

6. Tournez à la première rue à droite. C'est après le marché.

7. C'est juste à droite, le grand bâtiment au coin de la rue.

8. C'est dans la rue du Marché entre la poste et le restaurant.

IMPÉRATIF		
« ALLER » « TOURNER » - « PRENDRE »		
Va	**Tourne**	**Prends**
Allons	**Tournons**	**Prenons**
Allez	**Tournez**	**Prenez**

⚠ « Tourner » est un verbe du 1er groupe.
« Prendre » est un verbe irrégulier (3e groupe).

3 ▶ Ce n'est pas loin !

Vous êtes l'agent de police. Répondez aux touristes.

1. Pardon, monsieur l'agent, je cherche la poste.

2. Où est le parking, s'il vous plaît ?

3. Excusez-moi, est-ce qu'il y a une boulangerie près d'ici ?

4. Pardon, monsieur l'agent, la banque, s'il vous plaît ?

5. Excusez-moi. Pour aller à la mairie, s'il vous plaît ?

Est-ce qu'il y a une poste près d'ici?

Ma ville est comme beaucoup de petites villes de province. La mairie est au centre avec son drapeau bleu-blanc-rouge et sa devise *Liberté-Égalité-Fraternité*. À côté, il y a un parc, le lieu préféré des enfants, des chiens… et des amoureux. La poste est en face de la mairie, au coin de la rue Centrale et de la rue du Marché. Et, naturellement, le marché est dans la rue du même nom… Vous allez à la banque ? Elle est aussi dans cette rue, entre la poste et un restaurant. Ce n'est pas loin. Pour garer une voiture ? C'est facile. Il y a un parking près d'ici. Vous passez devant le marché et vous continuez tout droit. C'est au bout de la rue.

Pour aller au supermarché, prenez la rue Centrale tout droit. C'est la rue commerçante. À côté du supermarché il y a un petit hôtel et des magasins… Les gens de la ville vont au café et au cinéma dans la rue des Fleurs et ils prennent leur pain à la boulangerie des Fleurs, juste après le cinéma. Ne cherchez pas la cabine téléphonique et l'arrêt d'autobus. Ils sont au carrefour, sur le trottoir, en face de la mairie.

4 ▶ Suivez le guide.

Écoutez le guide et indiquez le chemin du bus des touristes sur le plan.

À votre gauche, vous avez la place Saint-Germain-des-Prés et la célèbre église du même nom. Nous prenons maintenant la rue de Seine, à droite, puis la rue de Tournon. Au bout de la rue, vous voyez le Palais du Luxembourg. Nous longeons le jardin du Luxembourg et nous traversons le boulevard Saint-Michel. Nous suivons la rue Soufflot pour aller à la place du Panthéon. Nous revenons maintenant au boulevard Saint-Michel. Nous descendons le boulevard. À votre droite, la Sorbonne et le musée de Cluny... Nous traversons le boulevard Saint-Germain. Maintenant, nous arrivons à la place Saint-Michel. À droite, de l'autre côté de la Seine, vous voyez la cathédrale Notre-Dame...

4

5 ▶ Où sont ces monuments ?

Situez-les sur le plan.

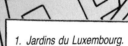

1. Jardins du Luxembourg.
2. Palais du Luxembourg.
3. Panthéon.
4. Sorbonne.
5. Musée de Cluny.
6. Théâtre de l'Odéon.
7. Église Saint-Germain-des-Prés.
8. Notre-Dame.

L'église
Saint-Germain-
des Prés

La Sorbonne

Notre-Dame de Paris

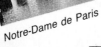

PLACE DU CHÂTELET

HÔTEL DE VILLE

ÎLE SAINT-LOUIS

PONT SAINT-MICHEL

SAINT-JACQUES

-ANDS-AUGUSTINS
PLACE SAINT-MICHEL

SAINT - GERMAIN

RUE

SAINT-MICHEL

RUE RACINE

RUE DE L'ODÉON

RUE DE MÉDICIS

BOULEVARD

RUE SOUFFLOT

PLACE DU PANTHÉON

PLACE EDMOND ROSTAND

Savoir lire un plan

7 ▶ Où vont ces gens ?

Ces gens sont au théâtre de l'Odéon. Regardez le plan, écoutez et dites où ils vont.

1. Prenez la rue Racine. Tournez à gauche dans le boulevard Saint-Michel et allez tout droit. C'est au bout.
2. Allez tout droit jusqu'au boulevard Saint-Germain et tournez à gauche. La place est à votre droite, en face de la rue de Rennes.
3. Passez derrière le théâtre et prenez la rue de Vaugirard à gauche, traversez le boulevard Saint-Michel. Vous arrivez sur une place. C'est en face de vous.
4. Prenez la rue de Vaugirard à droite et tournez à la cinquième rue à droite. Vous arrivez sur une grande place. C'est là.
5. Descendez la rue de l'Odéon, suivez la rue de l'Ancienne-Comédie et la rue Dauphine.

8 ▶ Quel est le chemin ?

Regardez les dessins et indiquez le chemin. Puis écoutez et vérifiez vos réponses.

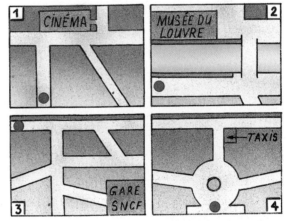

4

6 ▶ Qu'est-ce que vous dites ?

Vous ne comprenez pas. Faites répéter.

– *Vous allez au bout du boulevard Saint-.....*
– *Excusez-moi. Je vais au bout de quel boulevard ?*

EXPRIMER LA DIRECTION

Prendre / suivre / traverser / descendre ⟶ la rue / le boulevard.
Passer devant / derrière ⟶ l'école / le jardin.
Aller tout droit / à gauche / à droite / jusqu'au bout....

⚠ À côté de l'école / de la mairie / du jardin / des quais.

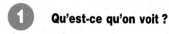

LA ROUE TOURNE

4

1 **Qu'est-ce qu'on voit ?**

Avant d'écouter, regardez la bande dessinée.

1. Où est Émilie ?
2. Où est-ce qu'elle va ?
3. Quel est le problème ?

2 **Vrai ou faux ?**

Ecoutez le dialogue et rétablissez la vérité si nécessaire.

1. Il y a une grève et il n'y a pas beaucoup de trains.
2. Il n'y a pas beaucoup de monde sur le quai du métro.
3. Les gens font la queue à la station de taxis.
4. L'automobiliste n'a pas de place dans sa voiture.
5. L'automobiliste demande le chemin du Bicyclub à un agent.
6. Émilie va au club en voiture avec un agent.
7. Le Bicyclub est dans le Bois près d'un restaurant.
8. Thierry et les parents d'Émilie sont encore au club.

3 **Qu'est-ce qu'ils veulent dire ?**

Est-ce qu'ils expriment leur accord, leur « ras-le-bol » (irritation) ou leurs remerciements ?

4 **Mettez ensemble.**

1. Qu'est-ce qu'il y a ?
2. Moi, je suis pressé !
3. Les grèves des transports, ras-le-bol.
4. Vous savez où c'est ?
5. C'est tout droit ?
6. C'est loin ?

a. Non, désolé.
b. À pied, oui.
c. Ça, c'est bien vrai !
d. Nous aussi.
e. Il y a une grève.
f. Non. Tournez à la première à gauche.

5 **À ce moment-là...**

Complétez ces phrases.

1. Quand Émilie arrive sur le quai du métro...
2. Quand Émilie cherche un taxi...
3. Quand l'automobiliste s'arrête...
4. Quand Émilie descend de la voiture...
5. Quand Émilie arrive au club...

6 **Quelles sont leurs intentions ?**

1. Pourquoi est-ce que les gens font la queue ?
2. Pourquoi est-ce que l'automobiliste s'arrête ?
3. Pourquoi est-ce que les trois personnes montent dans la voiture ?
4. Pourquoi est-ce qu'Émilie va au bois de Boulogne ?
5. Pourquoi est-ce qu'elle va au Bicyclub ?

POURQUOI ? → parce que... (cause) /
→ pour + infinitif (but)

Pourquoi est-ce que tous ces gens attendent ?
⟶ Parce qu'il y a une grève.
⟶ Pour prendre le taxi.

TROP TARD!

ÉMILIE, LES ÉCOUTEURS DE SON WALKMAN SUR LES OREILLES, DESCEND DANS UNE STATION DE MÉTRO.

SUR LE QUAI, IL Y A BEAUCOUP DE MONDE.

QU'EST-CE QU'IL Y A? POURQUOI EST-CE QUE TOUS CES GENS SONT LÀ?

UNE GRÈVE! AH NON, PAS AUJOURD'HUI!

PARCE QU'IL Y A UNE GRÈVE. VOUS N'ÉCOUTEZ PAS LA RADIO?

UNE GRÈVE, C'EST BIEN MA VEINE!

EH LÀ! FAITES LA QUEUE!

JE SUIS PRESSÉE.

BEN, NOUS AUSSI ON EST PRESSÉS!

MADAME A RAISON, FAITES LA QUEUE COMME TOUT LE MONDE. AH! CES JEUNES, TOUS LES MÊMES!

UNE VOITURE S'ARRÊTE...

JE VAIS AU BOIS DE BOULOGNE. J'AI TROIS PLACES, ÇA INTÉRESSE QUELQU'UN? MOI!

MOI!

MOI!

DOUCEMENT! PAS TOUT LE MONDE. TROIS PERSONNES SEULEMENT.

ÉMILIE MONTE DANS LA VOITURE À CÔTÉ DU CONDUCTEUR.

MERCI, C'EST DRÔLEMENT SYMPA.

AH OUI, ALORS, C'EST TRÈS GENTIL, LES GRÈVES DE MÉTRO RAS LE BOL!

JE SUIS BIEN D'ACCORD AVEC VOUS

DITES, MONSIEUR, JE VAIS AU BICY CLUB DE FRANCE, VOUS SAVEZ OÙ C'EST?

DÉSOLÉ, JE NE SAIS PAS.

MERCI BIEN! AU REVOIR.

EXCUSEZ-MOI, MONSIEUR L'AGENT, POUR ALLER AU BICY CLUB DE FRANCE?

LE BICY CLUB... ATTENDEZ... C'EST PRÈS DU RESTAURANT "LE RELAIS DU BOIS".

ET CE RESTAURANT, IL EST OÙ?

VOUS ALLEZ TOUT DROIT JUSQU'AU PROCHAIN FEU ROUGE, PUIS VOUS TOURNEZ À GAUCHE ET VOUS PRENEZ LA PREMIÈRE À DROITE. À PIED, C'EST ASSEZ LOIN!

QUAND ÉMILIE ARRIVE ENFIN AU CLUB...

IL EST TROP TARD! TOUT EST FERMÉ.

AH NON! ET COMMENT JE RENTRE CHEZ MOI, MAINTENANT?

4

9 Émilie rentre chez elle.

Dites quels moyens de transport elle n'utilise pas et pourquoi. (Trouvez chaque fois une raison différente.)

Pas en avion ! → Parce qu'on ne prend pas l'avion dans une ville !

1. Pas en métro ! Parce que...
2. Pas en bus !
3. Pas en taxi !
4. Pas en voiture !
5. Pas en train !

7 Quelle est la cause ?

1. Pourquoi est-ce qu'il n'y a pas de métros ?
2. Pourquoi est-ce qu'il y a la queue à la station de taxis ?
3. Pourquoi est-ce qu'Émilie cherche un taxi ?
4. Pourquoi est-ce que les trois personnes remercient ?
5. Pourquoi est-ce que le club est fermé ?

8 Trouvez la question.

Pour prendre le métro. → Pourquoi est-ce que tous ces gens sont sur le quai ?

1. Pour prendre un taxi.
2. Pour prendre des gens dans sa voiture.
3. Parce qu'elle ne connaît pas le chemin du Bicyclub.
4. Parce que l'automobiliste est gentil.
5. Pour voir ses parents et Thierry.

10 Que dire dans ces situations ?

Jouez chacune des scènes suivantes avec un(e) autre étudiant(e).

1. Vous êtes devant le cinéma Odéon. Il y a la queue. Vous passez devant les gens...
2. Vous arrivez à la caisse pour prendre le billet. Plus de place !...

11 **Au secours !**

Vous cherchez le cinéma Forum Arc-en-ciel. À l'aide du plan, quelqu'un vous guide.

12 **Jeu de rôle.**
Où est-ce ?

Vous sortez de la classe. Dans la rue, un Français vous demande où est l'arrêt de bus, la station de taxis, etc. Vous lui indiquez le chemin.

13 **Jeu de rôle.**
Qu'est-ce qu'il y a à voir ?

Vous travaillez dans une agence de voyages. Un touriste vous demande ce qu'il y a à voir dans votre ville. Vous indiquez les endroits à visiter et vous donnez les indications nécessaires.

4

DES SONS ET DES LETTRES

■ Lettres muettes

Consonnes doubles

☐ Prononcez une seule consonne.

Att**end**ez ! J'a**rr**ive.
A**ll**ez, e**ss**ayez de pa**ss**er.
Vous co**nn**ai**ss**ez ce**tt**e perso**nn**e ?

⚠ **-ss-** = [s] (intéressé)
voyelle-**s**-voyelle = [z] (désolé).

■ Voyelles nasales

[ã] → an, am, en   *la France, devant, chambre,*
                    les gens descend(ent), drôlement

[õ] → on, om   *On monte. Non, ils ne sont pas là !*
⚠   *monsieur* [məsjø]

[ɛ̃] → in, im   *impossible, enfin,*
     ain, (i)en   *prochain, bien*

⚠   Pas de nasales : prennent [ɛn], donne [ɔ],
                     prochaine [ɛn]...

☐ Écoutez l'enregistrement et dites si vous entendez une voyelle nasale.

■ Insistez sur le mot important : mettez un accent d'insistance.

☐ Prononcez ces phrases, puis écoutez l'enregistrement. Répétez.

C'est **drô**lement sympa !   C'est **très** gentil.
Ah **non ! Pas** aujourd'hui !   Je suis **bien** d'accord avec vous.

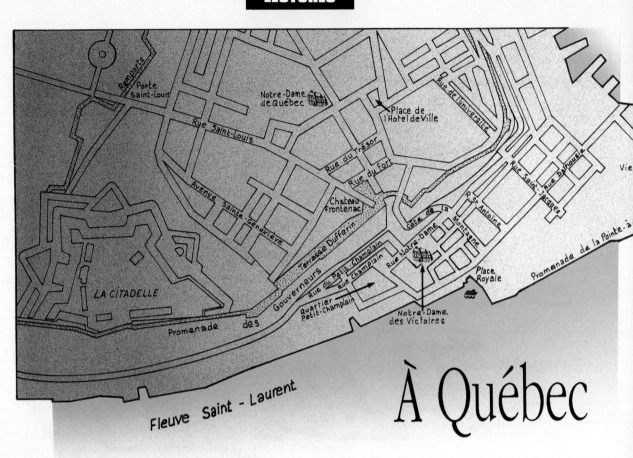

À Québec

4

1 **Quel est ce texte ?**

1. Il est extrait :
– d'un journal,
– d'un guide touristique.

2. Il présente :
– un pays,
– une ville pittoresque.

3. Il est écrit pour :
– des touristes,
– des étudiants d'art.

2 **Qu'est-ce qu'on voit ?**

Regardez le plan (ci-dessus) et les photographies puis lisez le texte.

1. Situez le lieu des photos sur le plan.
Ces lieux sont-ils tous cités dans le texte ?

2. Faites la liste des lieux cités dans le texte.

3 **Que savez-vous sur la vieille ville de Québec ?**

1. D'où voit-on bien le fleuve Saint-Laurent ?
2. Quelle est la particularité de l'hôtel Château-Frontenac ?
3. Où est-ce que les jeunes peintres exposent leurs tableaux ?
4. De quels siècles sont les vieilles maisons pittoresques ?
5. Comment est-ce qu'on entre dans la vieille ville ?
6. Quel est le lieu des premières habitations de Québec ?
7. Qu'y a-t-il en février à Québec ?

4 **Qu'en pensez-vous ?**

1. Est-ce que l'auteur du texte aime le Québec ? Quels mots est-ce qu'il emploie pour parler de sa ville ?
2. Quelle langue parle-t-on au Québec ?
3. Les Français appellent les Québécois « nos cousins d'Amérique ». Pourquoi ?

[1]

[2]

[3]

DEPUIS 400 ans la vieille ville de Québec domine le fleuve Saint-Laurent. Découvrez ses vieilles rues, ses places, ses musées, ses monuments, ses églises, ses parcs. Partez de la grande terrasse Dufferin(4), le lieu de rendez-vous des touristes et des Québécois. Admirez la vue splendide sur le fleuve et sur la Basse-Ville. Entrez dans l'hôtel Château-Frontenac(2). Sa silhouette imposante est connue dans le monde entier. De là prenez à droite, suivez la promenade des Gouverneurs et montez jusqu'à la Citadelle. Redescendez à la terrasse et découvrez les rues étroites de la ville : la pittoresque rue du Trésor, pleine de tableaux exposés par de jeunes peintres ; la rue Saint-Louis ave ses maisons anciennes, ses petits restaurants, son animation. Remarquez une petite maison à toit rouge du XVIIe siècle, appelée « Les Anciens Canadiens »(5). Continuez jusqu'à la porte Saint-Louis et les remparts.

Puis revenez sur vos pas et descendez vers la ville basse. Passez devant l'église Notre-Dame de Québec, traversez la place de l'Hôtel-de-Ville. Marchez jusqu'à la Place Royale, le premier lieu habité de la Nouvelle-France en 1608. Visitez l'église Notre-Dame-des-Victoires sur la place et le quartier Petit-Champlain plein de couleurs et de fleurs en été. Venez aussi à Québec en hiver(1). La ville est belle sous la neige pour la grande fête de Carnaval(3) au mois de février.

Alors on oublie le froid dans la joie, les couleurs, la musique et les chansons !

4

[4]

[5]

Écrivez une lettre d'invitation.

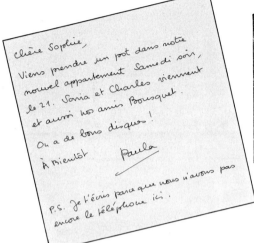

Chère Sophie,

Viens prendre un pot dans notre nouvel appartement samedi soir, le 21. Sonia et Charles viennent et aussi nos amis Bousquet.

On a de bons disques !

À bientôt   Paula

P.S. Je t'écris parce que nous n'avons pas encore le téléphone ici.

Chers amis,

D'accord pour le 21. Mais comment est-ce qu'on va chez vous ? On prend le métro ou le bus ?

Faites un plan.

Amitiés.

Sophie

Chère Sophie,

Nous habitons bien au 95, rue du Théâtre, dans le 15ᵉ. C'est au 5ᵉ étage, mais il y a un ascenseur !

Viens en métro. Nous sommes près de la station Commerce. Prends la rue du Commerce et tourne à gauche dans la rue du Théâtre. Tu vois, c'est facile et ce n'est pas loin du métro.

Amitiés.

Paula

---

6 Écrivez votre lettre.

Un(e) autre étudiant(e) lit votre lettre et répond à votre invitation.

1. Il/Elle accepte :
- **a.** remerciements pour l'invitation,
- **b.** acceptation (= oui),
- **c.** salutations amicales.

2. Il/Elle refuse :
- **a.** remerciements pour l'invitation,
- **b.** refus (= non),
- **c.** raison (autre invitation, en voyage...),
- **d.** regrets (désolé(e)),
- **e.** salutations amicales.

5 À vous d'inviter...

Préparez votre lettre.

1. Qui est-ce que vous invitez ?

2. Pour quoi faire :
- soirée chez vous ?
- au restaurant ?
- pour aller chez des amis ?

3. Quand ? (Le 10 ? Le 18 ? Le 25 ?...)

4. À quelle heure ? (À sept heures ? À huit heures ?...)

5. Comment est-ce qu'on va chez vous ? (Donnez les indications nécessaires. Faites un plan et indiquez les stations de métro ou les arrêts de bus.)

7 Échangez vos textes entre étudiants et faites-en la critique.

8 Une ville de votre pays.

Présentez cette ville pour un guide touristique.

1. Quelle ville choisissez-vous ?

2. Où est-elle située ?

3. Comment est-elle (grande, petite, ancienne, belle, pittoresque...) ?

4. Qu'est-ce qu'elle a de spécial (ses monuments, son fleuve, son histoire, son animation, ses fêtes...) ?

5. Quels lieux présentez-vous ? Faites la liste.

6. Quels itinéraires conseillez-vous ?

Mémoires d'ordinateur

« Bonjour, Éric. Je m'appelle Victor. Je suis programmé pour t'aider. Je reconnais les voix. Ma mémoire est exceptionnelle et je suis très rapide. »

Éric sourit.
— Bonjour, Victor.

Éric entre ses données : « Trois sociétés concurrentes : deux à Paris, les sociétés CMX et SM2. La troisième est à Lyon, la société SICOS. Je vais demain à Lyon. Sylvie... »
— Sylvie... Elle est charmante, non ?

« *Moi, les femmes...* »
On frappe.
— Entrez !
C'est Sylvie. Éric arrête de taper. Elle va vers lui.
— Bonjour, Sylvie.
— Bonjour, Éric. Tenez, j'ai vos billets. Vous prenez... Qu'est-ce que ça veut dire « Moi, les femmes... » ?
— Oh, euh... rien. C'est entre Victor et moi.
— Je vois... Départ demain matin, huit heures vingt, de la gare de Lyon. Arrivée à dix heures trente. Vous connaissez Lyon ?
— Pas très bien. Il y a des taxis, j'imagine ?
— Non, justement. Ils sont en grève. Mais...

— Je vois... Venez, nous allons parler de ça au café.
[...]

Dix heures trente à la gare de Lyon-Perrache. Il fait beau mais un peu froid. Et pas un seul taxi ! Tant pis ! Il y a un métro à Lyon. Éric arrête un passant :
— Excusez-moi. Pour aller rue des Marchands, il y a le métro ?
— Oui. C'est direct. C'est le quatrième arrêt. Ce n'est pas très loin.
— Merci.
— De rien. Au revoir, monsieur. Bonne journée.
« Les gens sont vraiment aimables en province... »
Éric sort de la station et regarde autour de lui. Quand on ne connaît pas une ville !
— Pardon, madame, la rue des Marchands, s'il vous plaît ?
— Vous allez tout droit et c'est la première rue à droite. C'est facile, il y a une banque au coin de la rue.
— Merci, madame. Bonne journée.

Éric est devant la porte de la société SICOS, deuxième société française spécialisée en moteurs de sous-marins, numéro cinq mondial.

4

PARIS
Architectures

▲ *Le ministère des Finances (Bercy).*

Le Louvre. ▲

L'Opéra-Bastille. ▼   ▼ *La grande arche de la Défense.*

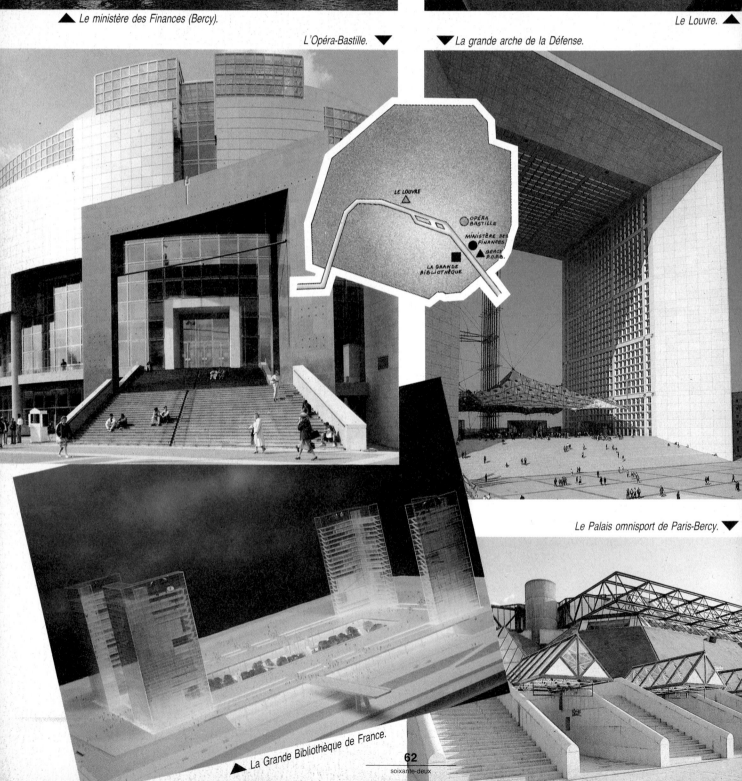

Le Palais omnisport de Paris-Bercy. ▼

▲ *La Grande Bibliothèque de France.*

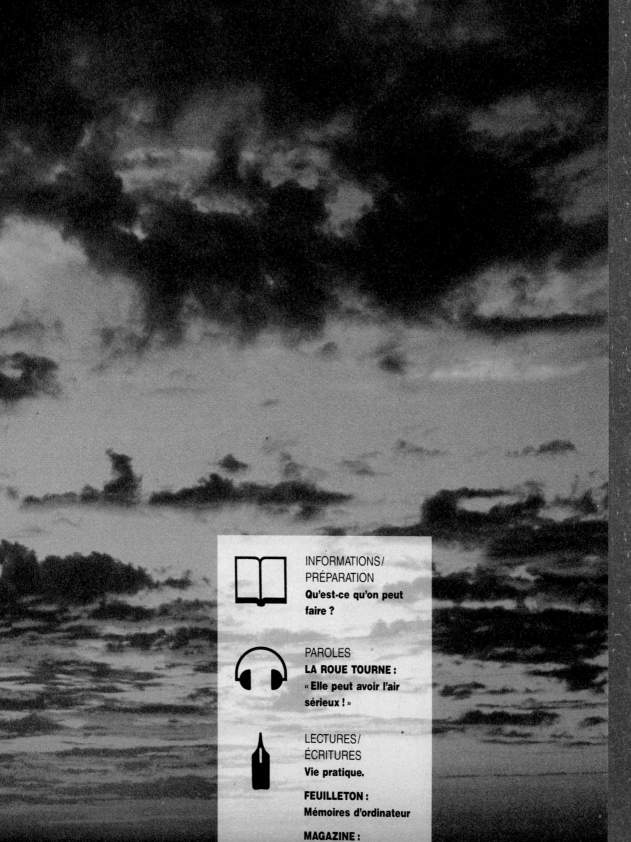

QUE VOULEZ-VOUS ?

DOSSIER

5

Qu'est-ce qu'on peut faire ?

 1 Vrai ou faux ?

Écoutez les interdictions, puis dites : « C'est vrai » ou « C'est faux ».

1. On peut parler au conducteur dans les autobus.
2. Il ne faut pas traverser dans les passages cloutés.
3. Il y a des endroits interdits aux chiens.
4. Vous pouvez faire du bruit après dix heures du soir.
5. Il ne faut pas fumer dans les toilettes d'un avion.

PRÉSENT DE « POUVOIR »		
Je	**peu**x	traverser.
Tu	peux	faire du bruit.
Il/Elle	peut	sortir.
Nous	**pouv**ons	venir.
Vous	pouvez	parler.
Ils/Elles	**peuv**ent	doubler.

 Pouvoir est un verbe irrégulier (3ᵉ groupe).

 2 Qu'est-ce qu'on ne peut pas faire ?

Interdit aux chiens
▼

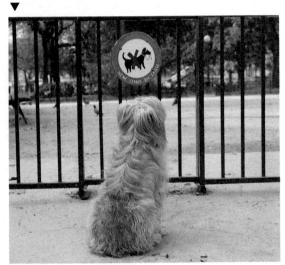

→ *On ne peut pas entrer avec son chien.*
→ *Vous ne pouvez pas entrer avec votre chien.*
→ *Les chiens ne peuvent pas entrer.*

 3 Qu'est-ce que vous pouvez ou ne pouvez pas faire ?

– Dans la rue.
– Dans la classe.
– En société.

 4 Permission ou interdiction ?

Qu'est-ce qu'on peut faire ? Qu'est-ce qu'il ne faut pas faire ?

– *Est-ce qu'on peut traverser ?*
– *Oui, vous pouvez.*
– *Est-ce qu'on peut marcher sur la pelouse ?*
– *Non, il ne faut pas.*

1. Est-ce qu'on peut faire du bruit après dix heures ?
2. Est-ce que les gens peuvent parler au conducteur d'un bus ?
3. Est-ce que vous pouvez fumer dans les toilettes ?
4. Est-ce qu'on peut écrire sur nos livres ?
5. Est-ce que nous pouvons doubler en ville ?

PRÉSENT DE « FALLOIR »		
Il	**faut**	traverser ici.
Il	ne **faut** pas	marcher sur la pelouse.

 « Falloir » est un verbe impersonnel : il se conjugue seulement à la 3ᵉ personne du singulier.

Qu'est-ce qu'on peut faire ?

1 - Sens interdit.
2 - Interdit aux véhicules à moteur.
3 - Interdit aux bicyclettes.
4 - Interdit aux chiens même tenus en laisse.
5 - Interdit de klaxonner.
6 - Silence hôpital !
7 - Interdit de tourner à droite.
8 - Entrée interdite.
9 - Interdit de fumer.
10 - Interdiction de traverser, prenez le passage pour piétons.
11 - Interdit aux autobus.
12 - Interdit de stationner.
13 - Interdit de parler au conducteur.

5 ▶ Qu'est-ce qu'ils ne peuvent pas faire ?

Le feu est au rouge. (eux, traverser)
→ *Ils ne peuvent pas traverser.*

1. La porte est fermée. (elle, entrer)
2. Il y a une grève des transports. (lui, rentrer chez lui)
3. Nous n'avons pas d'argent. (nous, aller au restaurant)
4. Il n'y a pas d'arrêt de bus. (moi, prendre le bus)
5. Tu n'as pas leur adresse. (toi, aller chez eux)
6. Il y a une interdiction de fumer. (vous, fumer)
7. Pas d'animaux dans le parc. (elle, entrer avec son chien)
8. C'est un sens interdit. (elle, tourner à droite)

PRÉSENT DE « VOULOIR »

Je	**veu**x	sortir.
Tu	veux	prendre le bus.
Il/Elle/On	veut	visiter Paris.
Nous	**voul**ons	entrer.
Vous	voulez	doubler.
Ils/Elles	**veul**ent	danser.

⚠ « Vouloir » est un verbe irrégulier (3e groupe).

6 ▶ Qu'est-ce qu'ils veulent faire ?

Et vous, qu'est-ce que vous voulez faire ?

7 ▶ Pouvoir ou vouloir ?

Quand on veut, on peut !

Complétez les phrases.

1. Nous . . . . . aller chez nos amis, mais nous ne . . . . . pas : nous n'avons pas leur adresse.
2. Ils . . . . . visiter la France, mais ils ne . . . . . pas : ils n'ont pas de vacances.
3. Vous . . . . . garer votre voiture ici, mais vous ne . . . . . pas : il y a une interdiction.
4. Tu . . . . . visiter Paris avec ton chien, mais tu ne . . . . . pas : les monuments sont interdits aux chiens.
5. Elle . . . . . prendre sa voiture, mais elle ne . . . . . pas : elle n'a pas la clef.

8 ▶ Chacun son tour !

Jouez avec un(e) autre étudiant(e). Posez-lui des questions avec « pouvoir » ou « vouloir ». (Pensez à : faire du vélo, partir en vacances...)

– *Est-ce que tu veux / vous voulez visiter la France ?*
– *Est-ce que tu peux / vous pouvez prendre des photos ?*

LES PRONOMS COMPLÉMENTS D'OBJET DIRECT : LE, LA, L', LES

• avec le présent de l'indicatif

Je double le taxi.	Je **le** double.
Ils visitent la France.	Ils **la** visitent.
Elle attend le bus.	Elle **l'**attend.
Vous prenez les tickets.	Vous **les** prenez.

• avec l'impératif

Double-**le**.
Visitez-**la**.
Attendez-**le**.
Prenez-**les**.

• avec un verbe à l'infinitif.

Ils ne peuvent pas **le** doubler. (le camion)
Elle ne veut pas **l'**attendre. (son ami)
Vous pouvez **les** prendre. (les clefs)
Tu ne peux pas **la** visiter. (la ville)

 9 ▶ **D'accord !**

Cette voiture ne va pas vite. Doublez-la.
→ D'accord. Je la double.

1. Il n'y a pas de circulation dans cette rue. Prenez-la.
2. Cet autobus va au Bois. Suivez-le.
3. Cette rue est en sens interdit. Ne la prenez pas.
4. Il y a beaucoup de voitures dans cette avenue. Ne la traversez pas.
5. Vous avez de la place dans votre voiture. Prenez ces gens.
6. Vous ne savez pas où est le club. Demandez le chemin.
7. Il y a beaucoup de monde. Faites la queue.
8. C'est au sixième étage. Prenez l'ascenseur.

 10 ▶ **Ils veulent le faire !**

Ne garez pas votre voiture ici. → Mais si, je veux la garer !

1. Ne prenez pas le métro.
2. N'attendez pas le bus.
3. Ne traversez pas la rue.
4. Ne doublez pas les voitures.
5. Ne montrez pas vos papiers.

11 ▶ **C'est ça !**

Je suis l'avenue. → C'est ça. Suivez-la.

1. D'abord, je traverse la place ?
2. Puis, je prends la rue en face ?
3. Après, je demande mon chemin ?
4. Ensuite, je visite le musée ?
5. Enfin, j'attends mes amis ?

 12 ▶ **Est-ce qu'ils peuvent le faire ?**

Il veut garer sa voiture ici. → Il ne peut pas la garer.

1. Vous voulez traverser la rue.
2. Ils veulent prendre le bus.
3. Elle veut entrer avec son chien.
4. Tu veux prendre cette rue.

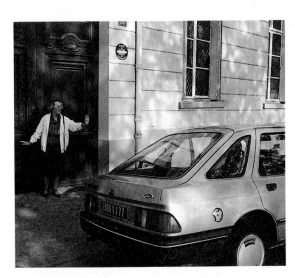

LA ROUE TOURNE

5

① **Comment est-elle habillée ?**

veste

badge

blouson

sac

jupe

jean

escarpins

baskets

② **Qu'est-ce qu'on voit sur la bande dessinée ?**

Regardez les dessins et essayez d'imaginer l'histoire.

1. On voit Émilie dans trois lieux différents. Quels sont-ils ?
2. Quels vêtements est-ce qu'elle porte à l'ANPE ?
3. Qu'est-ce qu'elle porte à la société import-export ?
4. Que portent les autres filles ?

③ **Dans quel ordre ?**

Mettez les faits suivants dans l'ordre de l'histoire.

1. Émilie, très élégante, va à la société import-export.
2. Émilie et Catherine discutent à la cafétéria.
3. Madame Petit donne une adresse à Émilie.
4. Monsieur L'Hôte présente Émilie à ses collègues.
5. Émilie attend madame Petit.
6. Émilie dit qu'elle a rendez-vous avec madame Petit.

Puis écoutez l'enregistrement
et vérifiez vos réponses.

④ **Qu'est-ce qui se passe ?**

1. Avec qui est-ce qu'Émilie a rendez-vous ?
2. Quelle formation a-t-elle ?
3. Quel travail est-ce qu'elle cherche ?
4. Depuis quand est-ce qu'elle attend d'avoir du travail ?
5. Quels conseils lui donne madame Petit ?
6. Comment faut-il être habillé(e) pour chercher du travail ?
7. À qui est-ce que monsieur L'Hôte présente Émilie ?
8. Qui peut expliquer son nouveau travail à Émilie ?

⑤ **Qu'est-ce qu'ils veulent faire ?**
Qu'est-ce qu'ils peuvent faire ?

1. Émilie : trouver du travail / avoir un travail bien payé / se présenter à monsieur L'Hôte...
2. Madame Petit : l'aider / lui donner des conseils / lui trouver du travail...
3. Monsieur L'Hôte : la prendre dans sa société / lui expliquer le travail / la présenter à ses collègues...

⑥ **Qu'est-ce que vous en pensez ?**

1. Pourquoi est-ce qu'Émilie va à l'ANPE ?
2. Pourquoi madame Petit dit-elle que sa formation est bonne ?
3. Pourquoi est-ce qu'Émilie est bien habillée à la fin ?
4. Pourquoi est-ce que Catherine dit à Émilie : « Tu es toujours habillée comme ça ? »

LES PRONOMS COMPLÉMENTS D'OBJET INDIRECT

Il donne des conseils **à** Émilie.

⟶ Il **lui** donne des conseils.

Il cherche du travail **pour** Émilie.

⟶ Il **lui** cherche du travail.

• devant un verbe au présent de l'indicatif :

Il/elle ⎰ **me** ⎱ donne des conseils.
          ⎱ **te** ⎰
          ⎰ **lui** ⎱

Il/elle ⎰ **nous** ⎱ cherche du travail.
          ⎱ **vous** ⎰
          ⎰ **leur** ⎱

• devant l'infinitif :

Il peut **me** donner des conseils.

• après l'impératif, utilisez :

moi / toi / lui / nous / vous / leur

⟶ Donne-**lui** des conseils.

5

7 Suivez ces conseils.

Complétez avec des pronoms compléments d'objet direct ou indirect.

Si vous cherchez du travail, allez voir une conseillère de l'ANPE. Expliquez-..... votre situation et dites-..... pourquoi vous cherchez du travail. Puis écoutez-..... et posez-..... des questions. Si elle ..... donne une adresse, notez-..... et allez ..... présenter au chef du personnel. Il peut ..... trouver un emploi. Alors, il ..... présente à vos nouveaux collègues. Il ..... explique votre travail et vous ..... écoutez avec attention.

8 Que peut faire madame Petit ?

Trouver du travail à Émilie. ⟶ *Elle peut lui trouver du travail.*

1. Donner rendez-vous à des jeunes.
2. Poser des questions aux demandeurs d'emploi.
3. Téléphoner à des sociétés.
4. Expliquer le travail à Émilie.
5. Chercher des adresses pour les jeunes.

9 Ils refusent !

Écris à tes parents. ⟶ *Non, je ne veux pas leur écrire !*

1. Téléphone à ta sœur.
2. Demande à madame Petit.
3. Présente-moi à Catherine.
4. Montrez sa place à Émilie.
5. Expliquez-lui le travail.
6. Posez des questions à monsieur L'Hôte.
7. Faites des excuses à vos amis.
8. Donne des conseils à Émilie.

10 Qu'est-ce qu'ils font ?

Utilisez des pronoms d'objet indirect.

La secrétaire prend des rendez-vous pour son patron. ⟶ *Elle lui prend des rendez-vous.*

11 **Qu'est-ce que vous pouvez faire pour eux ?**

Transformez ces offres d'aide en requêtes.

On peut vous écrire. → Vous pouvez m'écrire ? / Vous pouvez nous écrire ? / Pouvez-vous nous écrire ?

1. On peut vous donner rendez-vous.
2. On peut vous chercher des adresses.
3. On peut leur trouver du travail.
4. On peut lui présenter des gens.
5. On peut te donner des conseils.

 12 **Jeu de rôle.**
Donnez-leur des conseils !

Un ami vous propose de vous présenter pour un travail dans son entreprise. Il vous donne des conseils (quels vêtements mettre, que dire...).

 13 **Jeu de rôle.**
Que dites-vous dans ces situations ?

Faites des dialogues et exprimez : l'interdiction, la surprise, l'irritation, la demande d'aide...

5

DES SONS ET DES LETTRES

■ Alternance

[ø] / [œ]   *Elle veut / Elles veulent*
             Il peut   / Ils peuvent

[ø] final : son fermé

[œ] + consonne : son ouvert

    monsieur [məsjø]

■ Consonnes finales muettes (masculin) :
                    assi(s), peti(t)

Consonnes finales + e, prononcées (féminin) :
                    assis(e), petit(e)

« l, r, c, f » sont prononcées en finale :
                    seul, sac, cuir, neuf

        « -er » en finale se prononce [e] :
                    entrer, premier

⚠ mais prononcer [ɛr] dans : *super, hiver*

☐ Trouvez dix mots avec consonne finale prononcée. Quel est le genre (masculin ou féminin) de ces mots ?

■ Voyelles

– lèvres arrondies : [u], [o], [ɔ], [õ], [a], [ã], [y], [ø], [œ]
– lèvres tirées : [i], [e], [ɛ], [ɛ̃]

☐ Prononcez. Articulez bien.

1. Tu peux ? **2.** Elles veulent tout. **3.** Un bon bus.
4. Qu'est-ce qu'on voit ? **5.** On peut leur donner rendez-vous.

■ Intonation

L'intonation change, le sens change.

• Ordre :   • Conseil :

Téléphonez-leur.   Téléphonez-leur.

1 Description du magnétoscope.

Avant de lire, regardez le schéma de fonctionnement du magnétoscope.

1. Ce magnétoscope fonctionne sur du courant électrique de :
– 110 volts
– 220 volts.

2. Il utilise des cassettes :
– VHS
– Betamax.

3. Quel est le numéro :
– de la touche de lecture ?
– de la touche d'arrêt ?
– de la touche d'arrêt sur l'image ?

4. Où peut-on voir l'horloge et le compteur ?

2 Complétez le tableau ci-dessous.

Noms masculins	Verbes	Noms féminins	Verbes
branchement	. . . . .	reproduction	. . . . .
. . . . .	enregistrer	réalisation	. . . . .
fonctionnement	. . . . .	utilisation	. . . . .
allumage	. . . . .	introduction	. . . . .
arrêt	. . . . .	mise (en marche)	. . . . .
choix	. . . . .	permission	. . . . .
raccord	. . . . .	suite	. . . . .

3 Comment ça marche ?

Lisez le texte et mettez ces opérations de lecture dans l'ordre.

1. Enfin appuyez sur la touche 7.
2. Pour lire, il faut utiliser la touche « lecture ».
3. Il faut d'abord raccorder le magnétoscope au téléviseur.
4. Vous pouvez alors mettre les deux appareils en marche.
5. Ensuite introduisez la cassette.
6. Si vous voulez examiner une image, appuyez sur la touche « arrêt sur l'image ».

4 Que faut-il faire ?

Pour mettre le magnétoscope en marche ? → Pour mettre en marche, il faut appuyer sur la touche « mise en marche ».

1. Pour visionner une cassette vidéo ?
2. Pour avoir une image fixe ?
3. Pour arrêter la bande ?
4. Pour enregistrer un programme ?
5. Pour revenir en arrière (retour rapide) ?
6. Pour avancer rapidement ?
7. Pour regarder un autre programme pendant l'enregistrement ?
8. Pour éjecter la cassette ?

SAVEZ-VOUS UTILISER UN MAGNÉTOSCOPE?

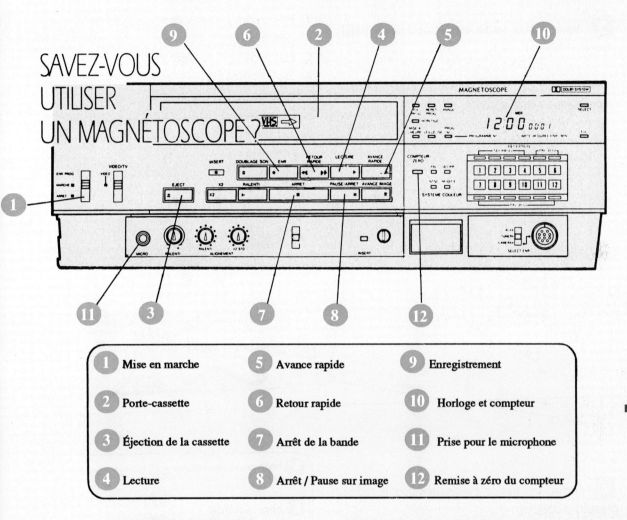

1 Mise en marche	**5** Avance rapide	**9** Enregistrement
2 Porte-cassette	**6** Retour rapide	**10** Horloge et compteur
3 Éjection de la cassette	**7** Arrêt de la bande	**11** Prise pour le microphone
4 Lecture	**8** Arrêt / Pause sur image	**12** Remise à zéro du compteur

MODE D'EMPLOI

Avec votre magnétoscope vous pouvez visionner des bandes vidéo et enregistrer des émissions télévisées.

Lecture

Raccordez d'abord le magnétoscope au téléviseur, puis branchez les deux appareils sur courant 220 volts. Ensuite, allumez votre poste de télévision et mettez-le sur la position AUX (auxiliaire).

Pour mettre en marche le magnétoscope, appuyez sur le bouton de mise en marche **1** . Une petite lumière rouge s'allume à gauche, et l'heure apparaît sur l'horloge à droite. Mettez le compteur à zéro et votre matériel est prêt.

Vous pouvez alors introduire une cassette dans le porte-cassette **2** .

La touche **5** permet l'avance rapide de la bande et la touche **6** le retour rapide.

Pour visionner la bande, appuyez sur la touche lecture **4** . L'image apparaît sur l'écran du téléviseur.

Vous pouvez faire un arrêt sur une image. Pour cela, utilisez la touche **8** .

Pour arrêter la bande, il suffit d'appuyer sur la touche **7** .

Si vous voulez retirer la cassette, appuyez sur la touche **3** .

L'éjection de la cassette est automatique.

Enregistrement

Pour enregistrer, choisissez d'abord le programme, puis appuyez en même temps sur les touches **9** et **4** .

En fin d'enregistrement vous pouvez arrêter la bande avec la touche **7** .

Vous pouvez regarder un autre programme pendant l'enregistrement.

Une télécommande permet de réaliser à distance toutes les fonctions de lecture et d'enregistrement.

Écrivez un mode d'emploi.

5 **Vous prêtez votre magnétoscope à un(e) ami(e).**

Écrivez-lui une courte note pour lui expliquer le fonctionnement de votre appareil.

Utilisez « d'abord, puis, ensuite, après ça... enfin », pour bien marquer la séquence des opérations.

6 **Rappelez-vous !**

1. Pour donner du courant électrique (220 volts) aux appareils, on les . . . . . .
2. Ensuite on . . . . . le téléviseur.
3. Pour mettre en marche le magnétoscope, on . . . . . sur la touche de . . . . . en marche.
4. Ensuite on . . . . . une cassette dans le porte-cassette.
5. Pour visionner la cassette, on . . . . . sur la touche « lecture ».
6. On peut . . . . . ou . . . . . en arrière rapidement.

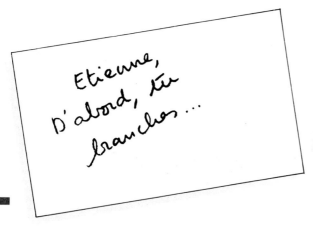

7 **Écrivez une notice d'utilisation** pour le radio-cassette ci-dessous.

En premier, branchez l'appareil sur courant 220 volts.

1 Prise pour branchement 220 V.	**5** Enregistrement
2 Mise en marche	**6** Position radio / cassette
3 Avance rapide	**7** Réglage du volume
4 Retour rapide	**8** Haut-parleur
	9 Sortie casque / écouteurs

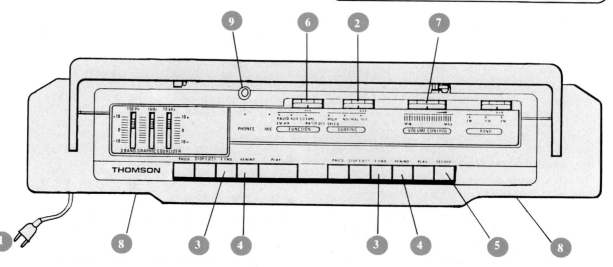

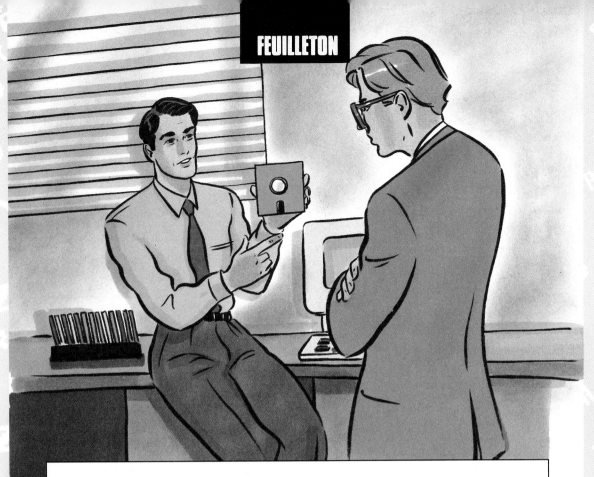

5

Mémoires d'ordinateur

— Alors, monsieur Legrand, cette enquête, elle avance ?

Éric regarde Gérard Pascal pendant quelques secondes.

— Pour l'instant, pas beaucoup.

— Votre voyage à Lyon, intéressant ?

— Oui… Ils doivent recommencer une grande partie de leurs calculs et ils veulent changer de logiciel.

— Changer de logiciel ! Mais c'est impossible ! Il est extrêmement performant.

— Pourtant, c'est ce qu'il faut faire. Ce logiciel est malade. Il a un virus.

— Vous voulez dire que tous les logiciels X2-340 sont malades ?

— C'est possible. Je vais faire d'autres recherches.

— Ces histoires de virus, c'est très à la mode. Vous êtes sûr de ne pas vous tromper ?

— Certain. Les « symptômes » sont les mêmes dans les quatre sociétés.

Gérard Pascal se lève, s'approche de Victor, s'arrête et se retourne vers Éric, l'air pensif.

— Et Victor, vous êtes content de lui ?

— Très content. C'est un excellent collaborateur. Dites, est-ce que vous pouvez réunir tous vos ingénieurs ?

— Oui, bien sûr. Rendez-vous dans une demi-heure dans la salle de conférences, au troisième.

Tout le monde est là. L'équipe du cinquième étage et celle du deuxième. Éric est debout. Sylvie, à côté de lui, prend des notes.

— Il faut changer votre programme de base…

— Nous ne pouvons pas changer de programme ! Nous avons déjà deux mois de retard !

— C'est pourtant le seul moyen pour empêcher l'épidémie.

— On ne peut pas trouver un vaccin ? Les programmes anti-virus, ça existe.

— Oui, mais il faut d'abord trouver l'origine du virus. Et ça prend du temps. Alors, suivez mon conseil. Changez de logiciel. Débranchez vos ordinateurs de tous les réseaux d'information et des téléphones. Et… surtout, enfermez-les bien.

— Pourquoi ? Vous soupçonnez un membre de notre équipe ?

— Je ne soupçonne personne. Mais il faut prendre toutes les précautions. Pas d'autres questions ?

— Combien de temps l'enquête peut-elle durer, monsieur Legrand ?

— Aucune idée !

Le printemps

20/21 mars -avril-mai- 21/22 juin
En général, il fait beau.

▲

L'été

21/22 juin -juillet-août- 22/23 septembre
Il fait chaud.

▼

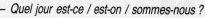

– Quel jour est-ce / est-on / sommes-nous ?
– Aujourd'hui c'est vendredi, 14 juillet 1989.
   (Prononcez : mille neuf cent quatre-vingt-neuf.)

Quel jour est-on?

NIVOSE
du 22 Décembre au 20 Janvier
Le soleil répond au Capricorne.

"Lorsque nous ne voyons ni feuillage ni fleurs,
Ni les brillans essaims qui formaient leurs Cortèges ;
Est-il charme plus doux plus puissant sur nos cœurs
Que les feux qu'une Nymphe allume au sein des Neiges !"

LES FÊTES DE L'ANNÉE

En France, il y a onze jours fériés par an :

– le 1er janvier, le Jour de l'an ;
– le lundi de Pâques ;
– le 1er mai, jour de la fête du travail ;
– le 8 mai, jour anniversaire de la victoire de 1945 ;
– un jeudi du mois de mai, le jour de l'Ascension ;
– le lundi de Pentecôte ;
– le 14 juillet, jour de la fête nationale ;
– le 15 août pour la fête de l'Assomption ;
– le 1er novembre, jour de la Toussaint ;
– le 11 novembre, jour anniversaire de l'armistice de 1918 ;
– le 25 décembre, jour de Noël.

LES VACANCES SCOLAIRES

– plus d'une semaine pour la Toussaint,
– environ deux semaines pour Noël,
– environ deux semaines en février,
– environ deux semaines de vacances de printemps,
– deux mois (juillet et août) de vacances d'été.

L'automne

22/23 septembre -octobre-novembre-
21/22 décembre - Il pleut.

▲

L'hiver

21/22 décembre -janvier-février- 20/21 mars
Il fait froid. Il neige.

▼

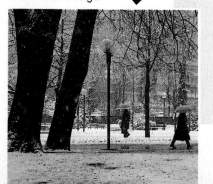

Cette page du calendrier révolutionnaire
montre le mois divisé en 3 décades
de 10 jours : primidi, duodi, tridi...

QU'EST-CE QU'ILS FONT ?

INFORMATIONS/
PRÉPARATION
Emplois du temps !

PAROLES
LA ROUE TOURNE :
« Thierry change de
look ! »

LECTURES/
ÉCRITURES
Vie quotidienne.

FEUILLETON :
Mémoires d'ordinateur

FAITES LE POINT.

DOSSIER

6

Emplois du temps !

 Quelle heure est-il ?

Écoutez et notez l'heure dans ces villes.

1. Mexico   **3.** Bogota   **5.** New York
2. Madrid   **4.** Nice   **6.** Tokyo

 Quel est le décalage horaire ?

Dites quelle heure il est dans la deuxième ville et calculez le décalage horaire.

Quand il est midi à Paris, quelle heure est-il à Montréal ? → Il est six heures. Il y a six heures de différence.

1. Sept heures à Québec → à Nice ?
2. Dix heures à Rio → à Dakar ?
3. Midi à Rabat → à Genève ?
4. Une heure de l'après-midi à Londres → à New York ?
5. Quinze heures à Nice → à Tahiti ?
6. Vingt heures à Delhi → au Caire ?

 Il est midi ici !

Quand il est midi chez vous, dites quelle heure il est :

1. à Paris ?
2. à Montréal ?
3. à Genève ?
4. à Dakar ?
5. à La Nouvelle-Orléans ?
6. à Tokyo ?

 Qu'est-ce qu'ils font ?

Écoutez, prenez des notes et dites ce que ces gens font.

Monsieur et madame Jackson sont couchés...

| MINUIT | 1 | 2 | 3 | 4 | 5 | 6 | 7 |

Montréal, 7 heures. Denise Laforêt prend son petit déjeuner comme tous les matins à la même heure. Il ne fait pas encore jour. Denise commence son travail à huit heures.

SAN FRANCISCO
NOUVELLE-ORLÉANS
MEXICO
BOGO
MIAMI
CA
TAHITI

San Francisco, 4 heures. Il fait nuit. Monsieur et madame Jackson sont couchés, ils dorment. Tout est calme. Il n'y a pas encore de voitures dans les rues.

Paris, 13 heures. Il est une heure de l'après-midi à Paris mais Sabine Lefort ne déjeune pas au restaurant, elle préfère manger un sandwich. Elle fait ses courses entre midi et deux heures. Puis elle retourne à son bureau jusqu'à cinq heures.

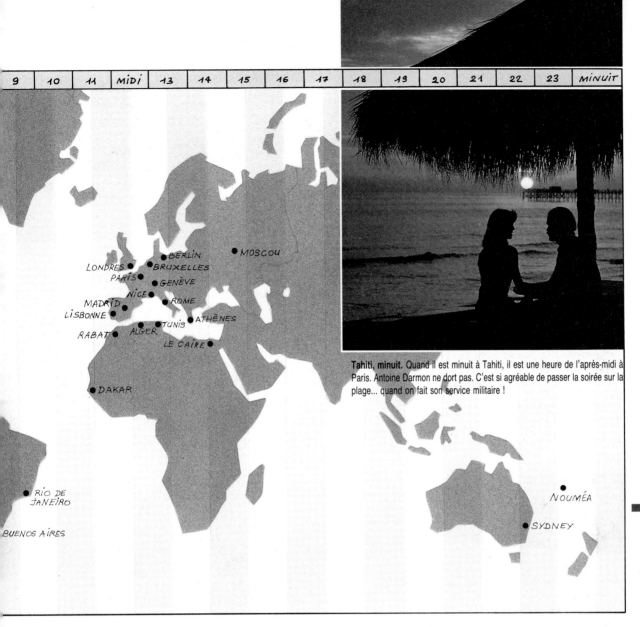

| 9 | 10 | 11 | MIDI | 13 | 14 | 15 | 16 | 17 | 18 | 19 | 20 | 21 | 22 | 23 | MINUIT |

BERLIN • MOSCOU

LONDRES • BRUXELLES
PARIS • GENÈVE
NICE
MADRID • ROME
LISBONNE • ATHÈNES
RABAT • ALGER • TUNIS
LE CAIRE

DAKAR

RIO DE JANEIRO

BUENOS AIRES

NOUMÉA

SYDNEY

Tahiti, minuit. Quand il est minuit à Tahiti, il est une heure de l'après-midi à Paris. Antoine Darmon ne dort pas. C'est si agréable de passer la soirée sur la plage... quand on fait son service militaire !

▣ Emplois du temps !

Dakar, 12 heures. Il est midi à Dakar. Assane Diop quitte son bureau pour rentrer chez lui. Il fait très chaud. Il déjeune puis il se repose jusqu'à trois heures. Il travaille l'après-midi de quinze à dix-huit heures.

Rio, 9 heures du matin. Il fait déjà chaud dehors. Roberto Costa est dans une salle de classe. Il suit un cours de français à l'Alliance Française. Il veut faire des études dans une université française.

PRÉSENT de « FAIRE »

Je	**fai**s	
Tu	fais	
Il/Elle/On	fait	des courses
Nous	**fais**ons (fəzõ)	
Vous	**faites**	
Ils/Elles	**font**	des études

 • « Faire » est un verbe irrégulier (3e groupe).
• Il fait beau. / Il fait nuit. / Il fait jour...

L'UTILISATION DU VERBE « FAIRE » DANS L'INTERROGATION

« Faire » sert de verbe de substitution à sens indéfini.

Qu'est-ce qu'il fait ? ⟶ Il travaille.
Qu'est-ce que tu fais ? ⟶ Je prends mon petit déjeuner.

5 ▶ Trouvez la question.

Ils dorment. → Qu'est-ce qu'ils font ?

1. Je déjeune.
2. Nous faisons des courses.
3. Elles prennent le bus.
4. Vous suivez un cours.
5. Elle travaille.
6. Il part de chez lui.

6 ▶ Que faites-vous ?

Interrogez un(e) étudiant(e) sur ce qu'il / elle fait.

– *Qu'est-ce que tu fais à 7 heures du matin ?*
– *Je prends mon petit déjeuner.*

1. ... à midi ?
2. ... entre 14 heures et 17 heures ?
3. ... le dimanche à 10 heures du matin ?
4. ... le samedi après-midi ?
5. ... après 20 heures ?

LES EMPLOIS DU PRÉSENT DE L'INDICATIF

• **Pour des actions habituelles :**
Elle part de chez elle tous les matins à 7 heures.
(tous les jours, le lundi... le matin)

• **Pour des actions en cours :**
Il est 7 heures. Elle part de chez elle.
(maintenant, en ce moment)

7 ▶ Une vie bien réglée !

Mademoiselle Leclerc a une vie réglée comme une horloge.

1. Que fait cette femme tous les jours et à quelle heure ?
2. Imaginez ce qu'elle fait le dimanche, pendant les vacances...

Il est . . .

. . . *cinq heures moins dix.*

. . . *six heures moins le quart.*

. . . *cinq heures dix.*

. . . *six heures et quart !*

PRÉSENT DES VERBES EN - IR

Je **fin**is	Je **par**s
Tu **chois**is	Tu **sor**s
Il/Elle **réfléch**it	Il/Elle **dor**t
Nous **finiss**ons	Nous **part**ons
Vous **choisiss**ez	Vous **sort**ez
Ils/Elles **réfléchi**ssent	Ils/Elles **dorm**ent

⚠ « Finir, choisir, réfléchir » sont des verbes du 2e groupe.
« Partir, sortir, dormir » sont des verbes irréguliers (3e groupe).

L'HEURE	OFFICIELLE	NON OFFICIELLE (langue parlée)
Nuit	une heure	une heure (du matin)
Matin	cinq heures	cinq heures (du matin)
	douze heures	midi
Après-midi	treize heures	une heure (de l'après-midi)
	seize heures	quatre heures (de l'après-midi)
Soir	dix-huit heures	six heures (du soir)
	vingt-quatre heures	minuit
LES MINUTES	15 (6 heures 15)	et quart (six heures et quart)
	30	et demie
	35	moins vingt-cinq
	45	moins le quart
	55	moins cinq

8 ▶ **À quelle heure y a-t-il un train ?**

Étudiez l'horaire des trains et répondez aux questions.

1. À quelle heure y a-t-il un train pour Nancy le matin ?
2. À quelle heure est le premier train pour Strasbourg ?
3. Est-ce qu'il y a un train pour Strasbourg le soir ?
     À quelle heure est-ce qu'il part de Paris ?

9 ▶ **Au téléphone.**

Écoutez ces trois conversations téléphoniques et dites :
– d'où la personne téléphone ;
– l'heure qu'il est ;
– ce que la personne fait.

EST

Paris-Nancy-Strasbourg-Wien

	6 55	6 58	7 52	8 30		11 00	13 24	Paris-Est	
	8 12	8 31		10 00			14 41	A Châlons-s-Marne	
	8 50	9 21		10 47			15 23	A Bar-le-Duc	
7 37	9 51	10 20	10 29	12 02		13 37	16 21	Nancy	
	11 27	11 27	11 27	13 50		14 47	17 a 37	Épinal	
8 57	11 h 06		11 42	13 38	14 48	15 40	17 56	Strasbourg	
	12 h 13		12 13	14 41	15 40	18 a 54		B Colmar	
			12 55	16 27	16 27	19 19		Karlsruhe	
			14 07	17 42	17 42	20° 27		Stuttgart	
			16 36	20 11	20 11	23 27		München	
			22 00			5 56		Wien	

15 52	16 31	17 20	18 46	18 55	19 48	23 15	Paris-Est	
17 11	17 55			20 27	21 12	0 48	A Châlons-s-Marne	
	18 38			21 17	21 50		A Bar-le-Duc	
18 33	19 36	19 56	21 23	22 27	22 42	2 28	Nancy	
20 06	20 56	20 56	22 52	23 56	23 56		Épinal	
19 45	21 04	21 08	22 36		0 09	3 53	Strasbourg	
20 51	21 55					4 33	B Colmar	
	22 29	22 29				5 40	Karlsruhe	
	23 50	23 50				6 48	Stuttgart	
	3 50	3 50				9 32	München	
						15 17	Wien	

Wien-Strasbourg-Nancy-Paris

6 44	9 05	10 41	12 00	12 a 10	14 18	16 58	Paris-Est	
5 14				10 a 45	12 58		A Châlons-s-Marne	
4 29	7 09			9 a 58	12 21	15 01	A Bar-le-Duc	
3 36	6 13	8 05	9 23	9 a 21	11 36	14 14	Nancy	
	5 13	6 45	8 00	8 00	10 25	13 22	Épinal	
2 12	5 02	6 52	8 00	7 05	9 03	12 45	Strasbourg	
1 22		5 53	7 05	7 12	9 12	12 00	B Colmar	
0 43			6 18	6 18	9 01	11 10	Karlsruhe	
23 34					7 41	10 01	Stuttgart	
20 44						7 17	München	
15 04						0 15	Wien	

18 02	20 10	20 58	21 a 44		22 41	23 02	Paris-Est	
16 23			20 a 36		21 21		A Châlons-s-Marne	
15 35	18 09		19 a 48		20 42		A Bar-le-Duc	
14 35	17 13	18 22	18 a 50	20 03		20 24	Nancy	
12 21	15 59	17 11	17 11			19 20	Épinal	
	15 48	17 10	17 20	18 21		19 12	Strasbourg	
	13 51	16 08	16 28	17 39		18 19	B Colmar	
	13 56	14 43	14 43			17 50	Karlsruhe	
	11 40	12 15	12 15			16 42	Stuttgart	
	8 47	9 47	9 47			13 57	München	
						8 00	Wien	

A   Voir également tableaux Paris-Frankfurt/M
B   Voir également tableaux Paris-Zurich
C   Sauf les sam., dim. et fêtes et sauf les 31 octobre et 5 mai
D   Sauf le 30 octobre

a   Horaires plus tardifs certains jours

8

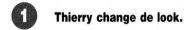

LA ROUE TOURNE

1 **Thierry change de look.**

Comment est-il habillé avant et après ?

blouson
tee-shirt
pull-over
chemise
jean
pantalon
baskets
chaussures de ville

6

2 **Qu'est-ce qu'on voit sur la bande dessinée ?**

1. L'action se passe dans cinq endroits. Quels sont-ils ?
2. À quelles heures de la journée ?
3. Que font Émilie et Thierry dans chaque endroit ?

3 **Rétablissez la vérité.**

Écoutez l'enregistrement et corrigez ces affirmations.

1. Thierry sort avec Émilie tous les samedis.
2. Émilie veut aller faire du vélo avec Thierry.
3. Ils vont à la poste pour envoyer un paquet.
4. Émilie veut passer la soirée à la piscine.
5. On n'attend pas beaucoup aux guichets des postes.
6. Il y a beaucoup de distractions dans les villes de province.
7. Il est minuit et Émilie veut rentrer chez elle.
8. Thierry se lève tard le dimanche matin.

4 **Dans quel ordre ?**

Mettez ces événements dans le bon ordre.

1. Émilie et Thierry font la queue à la poste.
2. Ils dansent aux Bains.
3. Thierry veut rentrer chez lui.
4. Émilie téléphone à Thierry pour lui demander ce qu'il fait.
5. Émilie arrive chez Thierry.
6. Ils regardent les boutiques de vêtements.

5 **De quoi s'agit-il ?**

Écoutez et choisissez chaque fois un des actes de parole suivants.

1. Refuser indirectement.
2. Demander l'opinion de quelqu'un.
3. Exprimer une intention.
4. Proposer une sortie.
5. Accepter une proposition.
6. Attirer l'attention.

6 **Qu'en pensez-vous ?**

1. Que fait Émilie le samedi ? Imaginez.
2. Pourquoi est-ce qu'ils achètent des vêtements pour Thierry ?
3. Pourquoi est-ce qu'Émilie aime les boîtes ?
4. Est-ce que la vie en province peut plaire à Émilie ? Pourquoi ?
5. Que fait Thierry le dimanche matin ?

7 **Qu'est-ce qu'ils font ?**

Racontez l'histoire dans l'ordre des événements. Utilisez des expressions de temps.

Il est onze heures. Émilie téléphone à Thierry...

THIERRY CHANGE DE LOOK !

ALLO, C'EST TOI, THIERRY ? SALUT. C'EST ÉMILIE. QU'EST-CE QUE TU FAIS CET APRÈS-MIDI ?

BEN, COMME TOUS LES SAMEDIS. JE FAIS DU VÉLO AVEC TES PARENTS, ENSUITE...

OH, ARRÊTE ! J'AI UNE AUTRE IDÉE ATTENDS-MOI. J'ARRIVE.

CHEZ THIERRY.

TU NE VEUX PAS SORTIR AVEC MOI AUJOURD'HUI ? JE VEUX TE MONTRER DES ENDROITS À LA MODE. MAIS, D'ABORD, TU T'ACHÈTES DES VÊTE-MENTS COR-RECTS.

TU CROIS ?

OH, OUI ! ET ON VA AUX HALLES LES ACHETER. COMME ÇA, CE SOIR, ON PEUT ALLER AUX "BAINS".

AUX BAINS ! TU VEUX PASSER LA SOIRÉE À LA PISCINE !

MAIS NON ! LES BAINS C'EST UNE BOÎTE, IDIOT ! J'ADORE DANSER.

TU SAIS, MOI, JE N'AIME PAS BEAUCOUP LES BOÎTES.

CELLE-LÀ, C'EST DIFFÉRENT ON S'AMUSE.

BON, SI TU VEUX. MAIS D'ABORD JE VEUX PASSER À LA POSTE. J'AI UN PAQUET À EN-VOYER ET ÇA FERME À MIDI.

POSTE

ÇA MARCHE TON BOULOT ?

OUI, ÇA VA... ET TOI TU ES CONTENTE ?

OUI, ÇA ME PLAÎT...

DIS DONC, IL N'Y A PERSONNE À CE GUICHET

SI, IL Y A QUELQU'UN, MAIS C'EST TOUS LES JOURS LA MÊME CHOSE. ON PARLE, ON PARLE ET LES CLIENTS ATTENDENT !

QU'EST-CE QU'ILS FONT, LES JEUNES, À CLERMONT ?

TU SAIS, À CLERMONT, ON NE S'AMUSE PAS BEAUCOUP. LES DISTRACTIONS SONT RARES. ON SE PROMÈNE, ON SE RETROUVE AU CAFÉ, ON VA AU CINÉMA... HEUREUSEMENT IL Y A LE SPORT.

LE VÉLO, OUI, JE SAIS...

PLUS TARD, AU FORUM DES HALLES.

LE SOIR...

ALORS, ELLE N'EST PAS SUPER CETTE BOÎTE ?

PAS MAL... DIS DONC, TU SAIS QUELLE HEURE IL EST ?

OUI, IL EST MINUIT. C'EST LE DÉBUT DE LA SOIRÉE !

TU PLAISANTES ! MOI, DEMAIN, JE ME LÈVE À 7 HEURES. JE FAIS DU VÉLO...

8 **Qu'est-ce qu'il fait le dimanche ?**

Étudiez le tableau ci-dessous et complétez les phrases.

1. Je . . . . . à 7 heures le dimanche. (se lever)

2. Ensuite, je . . . . . (s'habiller)

3. Puis, mes amis et moi, nous . . . . . vers 9 heures. (se retrouver)

4. Quand il fait beau, nous . . . . . (se promener)

5. On . . . . . dans des endroits agréables. (s'arrêter)

6. Et vous, est-ce que vous . . . . . le dimanche ? (s'amuser)

LES VERBES PRONOMINAUX AU PRÉSENT

Je	**me**	lève.	Nous	**nous**	regardons.
Tu	**t'**	habilles.	Vous	**vous**	amusez.
Il/Elle/On	**se**	promène.	Ils/Elles	**s'**	arrêtent.

 Deux sens :
• sens réfléchi : Ils se lèvent. (Chacun se lève.)
• sens réciproque : Ils se retrouvent au café. (Les uns avec les autres.)

6

9 **Ils ne refusent pas tous !**

Deux des phrases ne sont pas des refus. Éliminez-les.

1. Je veux d'abord passer à la poste.

2. Je ne peux pas. Je n'ai pas de maillot.

3. Tu plaisantes ! Moi, demain, je me lève à 7 heures.

4. Dis donc, il n'y a personne à ce guichet !

5. Tu sais, moi, je n'aime pas beaucoup les boîtes.

10 **Qu'est-ce qu'on fait ?**

Vous proposez à un(e) ami(e) de sortir avec vous. Donnez une raison.

Tu viens te promener cet après-midi. Il fait beau.

1. Tu es libre ce soir ? (endroit à la mode)

2. Viens dans les magasins. (acheter des vêtements)

3. Allons au café. (rejoindre des amis)

4. Tu veux aller dans cette boîte ? (super)

5. On peut aller aux « Bains ». (s'amuser)

11 **Que veut faire la personne ?**

Écoutez chacun des dialogues et dites si *a)*, *b)* ou *c)* est dans le dialogue.

Premier dialogue :

a) faire une proposition,

b) demander de l'information,

c) donner son accord.

Deuxième dialogue :

a) exprimer sa déception,

b) refuser,

c) donner une information.

Troisième dialogue :

a) donner un ordre,

b) proposer de l'aide,

c) proposer une sortie.

12 Jeu de rôle.
Voulez-vous sortir avec moi ?

Étudiez cette sélection de spectacles et proposez à un(e) autre étudiant(e) de sortir avec vous. S'il/elle accepte, fixez l'heure et le lieu du rendez-vous.

– Demandez s'il/elle est libre.
– Faites votre proposition. Vous pouvez donner une raison.
– Votre partenaire peut accepter ou refuser. En cas de refus, il/elle donne une raison.

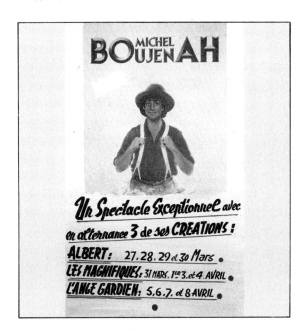

Notre sélection de la semaine

/**Opéra**/ Au théâtre de l'Opéra, *Carmen*, de Bizet. Les 25 avril et 1er mai à 18 h.

/**Théâtre**/ À la Comédie française, *Le Malade imaginaire*, de Molière. Les 27 avril, 6 et 9 mai à 20 h 30. Les 2 et 5 mai à 14 h.

/**Cinéma**/ À l'Épée de bois, *Les Ailes du désir*, de Wim Wenders. Film à 14 h, 16 h 30, 19 h, 21 h 30.
Au 14-Juillet-Odéon, *Au revoir les enfants*, un film de Louis Malle.

/**Musique**/ À la salle Pleyel, concert Debussy, Jeudi à 20 h 30.
Au Palais des Sports de Bercy, concert de rock. Vendredi à 21 h.
Au Zénith, tous les jours à 20 h 30, sauf dimanche 16 h : Bernard Lavilliers.

/**Expositions**/ Au musée Picasso, « Pablo Picasso, la période bleue ». Tous les jours (sauf mardi) de 9 h 15 à 17 h 15, mercredi jusqu'à 22 h.

/**Sport**/ Au Parc des Princes, Finale de la Coupe de France de football. Mai : samedi à 20 h 30.

DES SONS ET DES LETTRES

■ Lettres muettes au présent

a) verbes en **-er** :
une seule prononciation pour :

Je / Il / Elle / On ⎫   ⎧ **e**
Tu   ⎬ déjeun- ⎨ **es**
Ils / Elles   ⎭   ⎩ **ent**

b) autres verbes (sauf « être, avoir, aller ») :
une seule prononciation pour les trois personnes du singulier :

Je / Tu fai**-s**	Il / Elle fai**-t**
Je / Tu pren**-ds**	Il / Elle pren**-d**
Je / tu dor**-s**	Il / Elle dor**-t**

■ Changement de [ə] à [ɛ]

Se lever	⟶	je me lèv(e)
Nous nous levons	⟶	elles se lèv(ent)
S'appeler	⟶	tu t'appell(es)
Vous vous appelez	⟶	ils s'appell(ent)

☐ Écoutez et complétez le texte.

Elle se ..... à sept heures et elle ..... son petit déjeuner. Ensuite elle se ..... À neuf heures, elle ..... travailler. Entre midi et deux heures, elle ..... un sandwich et elle ..... ses courses. Vers cinq heures, elle ..... chez elle à pied. Le soir, elle se ..... à dix heures et elle ..... avant de dormir.

1 **Regardez les photos et le titre.**

Lisez rapidement le texte en entier.

1. Quelle est la profession d'Agnès ?
2. À quelle heure est-ce qu'elle se lève ?
3. À quelle heure est-ce qu'elle se couche ?

▲ *Un défilé de mode (Louis Féraud).*

METTEZ EN ORDRE

2 **Quel est l'emploi du temps d'Agnès ?**

Mettez ces événements dans le bon ordre.

1. Agnès prend un petit déjeuner léger.
2. Agnès attend avec sept autres jeunes filles.
3. Agnès fait sa gymnastique comme tous les jours.
4. Agnès et Laurent retrouvent leurs amis au restaurant.
5. Agnès se maquille avec soin et met une belle robe.
6. Agnès se couche tôt.

RECHERCHEZ LES FAITS

3 **À quel moment ?**

Cherchez les indications de temps dans le texte puis, en face de chaque indication, écrivez ce que fait Agnès.

Il est sept heures, Agnès se lève. Puis, à neuf heures...

4 **Quels sont les infinitifs ?**

Écrivez les infinitifs des verbes suivants.

1. On se lève tôt.
2. Elle met une tenue sport.
3. Sept filles attendent déjà.
4. Elle s'assoit.
5. Elle lit un magazine.
6. On rit.
7. Elle ne peut pas se coucher tard.

5 **À quoi se réfèrent les « on » du texte ?**

à la ligne 1 : on = les mannequins.

à la ligne 14   à la ligne 25   à la ligne 26
à la ligne 50   à la ligne 53 :   à la ligne 54

INTERPRÉTEZ

6 **Qu'en pensez-vous ?**

1. Pourquoi est-ce qu'Agnès se lève tôt ?
2. Où va-t-elle d'abord quand elle part de chez elle le matin ?
3. Que veut dire « C'est d'accord » à la ligne 16 ?
4. Pourquoi est-ce qu'elle doit sourire si elle a froid ?
5. Pourquoi est-ce qu'un mannequin doit se coucher tôt ?
6. Est-ce que la vie d'un mannequin est agréable ? Pourquoi ?

7 **Vous devez interviewer Agnès** pour écrire un article sur le métier de mannequin dans un magazine. Préparez les questions que vous allez poser. Si vous le pouvez, interviewez un(e) autre étudiant(e) dans le rôle du mannequin.

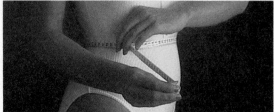

MANNEQUIN
Quel beau métier !

Sept heures. On se lève tôt quand on est mannequin. Agnès, 19 ans, prend un café sans sucre, puis elle se maquille et met une tenue sport : jean et sweat à fleurs.

Sa journée commence par une séance de gymnastique dans une salle de son quartier. Puis, à 9 heures, Agnès va à son premier rendez-vous. Sept filles attendent déjà. Ça va être long. Patience ! Elle s'assoit et lit un magazine. Enfin, on l'appelle. C'est pour présenter des tenues de tennis. C'est d'accord. Elle note la date et l'heure de la séance de photos.

Elle sort. Il est déjà midi. Aujourd'hui elle a le temps de déjeuner. Salade, jambon, biscotte : il faut faire attention à sa ligne !

À 14 heures, elle présente des robes d'été à Beaubourg. On la maquille. On est en février. Il faut sortir dans le froid et poser avec une jolie robe légère. Et il faut sourire, comme au mois d'août !

À 5 heures, elle a un autre rendez-vous, à l'autre bout de la ville. Une demi-heure de métro et un quart d'heure d'autobus. Elle écoute avec attention les explications du metteur en scène sur le scénario de la publicité à tourner. Est-ce qu'elle peut danser, se mettre en colère, dire un texte ?

Oui ? Alors elle va faire un essai devant la caméra.

Elle rentre chez elle. Il est déjà tard. Elle est fatiguée. Elle dîne avec Laurent ce soir. Vite, elle a juste le temps de prendre un bain et de se préparer : maquillage sophistiqué et robe du soir.

Il est déjà 8 heures ! On sonne. C'est Laurent. Il est toujours à l'heure...

On rencontre des amis au restaurant. On parle, on rit, on s'amuse. C'est le moment agréable de la journée. Mais il est si vite 10 heures ! Il faut rentrer. Un mannequin ne peut pas se coucher tard. La mauvaise mine, c'est le chômage !

COMMENT SE PASSENT VOS JOURNÉES ?

8 Une journée ordinaire

Vous décrivez à un correspondant français votre vie de tous les jours. Vous voulez montrer la régularité et la monotonie des jours de la semaine.

9 **Avant d'écrire votre texte** faites la liste de vos activités quotidiennes.

10 Écrivez votre texte.

1. Utilisez des expressions de temps pour bien marquer les heures de la journée et la succession des actions (d'abord, ensuite, puis, après, enfin...).
2. Utilisez des expressions pour marquer la régularité, la répétition, la monotonie (tous les matins, tous les jours, à la même heure, la même chose, les mêmes personnes, de la même manière...).

11 Critiquez et révisez votre texte.

12 Vous aimez la fantaisie...

Votre vie n'est pas monotone. Écrivez un texte pour souligner la variété et la fantaisie de votre vie de tous les jours.
Utilisez des expressions comme « le lundi, le jeudi, le soir, jamais la même chose, jamais à la même heure.... ».

Mémoires d'ordinateur

Neuf heures. Les employés de la société SM2 commencent à arriver. Éric Legrand est parmi eux. Il regarde un panneau quelques instants, puis va prendre l'ascenseur. Il s'arrête devant une porte : bureau 218, Monsieur Paul Bresson, directeur du personnel. Il frappe et entre dans le bureau.

— Monsieur Bresson ? Je suis Paul Duval, journaliste à *France-Entreprise*.

— Ah oui, c'est pour votre reportage sur notre entreprise ?

— C'est ça. Notre journal fait une grande enquête sur le fonctionnement des entreprises françaises.

— Oui, oui, je sais. Asseyez-vous, je vous en prie... Nous avons une centaine d'employés répartis dans une dizaine de services. Vous voulez interroger tout le monde ?

— Oui, bien sûr... Non, non, excusez-moi, je plaisante. Je veux juste deux ou trois personnes par service.

— Je mets ma secrétaire à votre disposition. Elle peut répondre à toutes vos questions.

Éric se retrouve bientôt dans une salle... d'ordinateurs. Elle ressemble beaucoup à celle de la société TGM. Trois ingénieurs entourent Éric et répondent à ses questions.

— Si je comprends bien, vous travaillez douze heures par jour !

— Pas exactement. Mais nous devons arriver tôt et partir tard.

— Et vous venez ici tous les jours de 8 heures du matin à 8 heures du soir ?

— Seulement par équipes de trois. On fait un roulement toutes les semaines.

— Pas le week-end, j'espère !

— Si, le week-end aussi.

— Et... jusqu'à quand vous pensez travailler à ce rythme ?

— Pendant deux ans, environ.

— C'est seulement vrai pour votre service. Je peux connaître la raison.

— Question de sécurité.

— Vous ne pouvez pas être plus précis ?

— Quand on travaille sur des projets importants avec des logiciels très performants, mais très fragiles, il y a des précautions à prendre.

— Ah oui, les virus informatiques, les risques d'épidémie...

— Vous êtes déjà au courant ?

— Des bruits courent, vous savez. Et puis, nous autres journalistes, c'est notre métier d'avoir des informations...

6

1 Examinez ce plan de ville.

Puis demandez et indiquez le chemin :
– de la mairie,
– de la gare des autobus,
– du château.

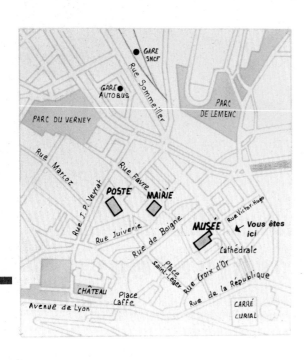

2 Imaginez une raison.

1. Les gens font la queue à la station de taxis.
2. Il va à pied à son bureau.
3. Elle demande son chemin à un agent.
4. Elle se prépare.
5. Il apprend une langue étrangère.

3 Un(e) ami(e) passe un examen.

Donnez-lui des conseils (vêtements, arriver à l'heure...).

4 Qu'est-ce que vous dites pour :

1. inviter un ami à sortir avec vous ? (Donner une raison.)
2. refuser de visiter un musée ? (Donner une raison.)
3. dire qu'il est l'heure de partir ?
4. attirer l'attention d'un ami, de quelqu'un ?

5 Qu'est-ce qu'ils veulent faire ?

Complétez. Inventez chaque fois une phrase. Utilisez le verbe « vouloir » et un pronom complément.

leurs amis : Ils... → Ils veulent les attendre.

1. le chemin : Elle...
2. les robes : Elles...
3. ce taxi : Ils...
4. le magazine : Tu...
5. ce musée : Nous...
6. sa sœur : Il...

DES MOTS ET DES FORMES

6 Donnez le nom correspondant au verbe. Marquez le genre avec un article.

1. Introduire.   **4.** Visiter.   **7.** Travailler.
2. Conseiller.   **5.** Défendre.   **8.** Répondre.
3. Fonctionner.   **6.** Expliquer.   **9.** Utiliser.

7 Mettez un adjectif démonstratif (ce, cet, cette) devant chacun des mots suivants.

1. heure   **6.** matin   **11.** toilette
2. restaurant **7.** milieu   **12.** métro
3. bureau   **8.** course   **13.** chien
4. soirée   **9.** plage   **14.** acteur
5. soir   **10.** bruit   **15.** porte

8 Complétez avec la forme correcte du verbe entre parenthèses.

Mes amis (se lever) à 7 heures, puis ils (se laver) et (prendre) leur petit déjeuner. À 8 heures, ils (aller) travailler. Ils (déjeuner) à une heure et (travailler) l'après-midi de 2 heures à 5 heures. Le soir, ils (dîner) tôt. Ils (ne pas sortir) beaucoup. Ce soir, ils (venir) chez moi.

9 La voyelle finale est-elle nasale ou non ?

1. américaine   **4.** font   **7.** se promènent
2. monde   **5.** prochain   **8.** doucement
3. gramme   **6.** bonne   **9.** chien

10 Trouvez et écrivez 15 mots sur la ville.

DE QUOI AVEZ-VOUS BESOIN ?

DOSSIER 7

INFORMATIONS/
PRÉPARATION
Savez-vous manger ?

PAROLES
LA ROUE TOURNE :
« Qu'est-ce qu'il faut
emporter ? »

LECTURES/
ÉCRITURES
Modes de vie.

FEUILLETON :
Mémoires d'ordinateur

MAGAZINE :
L'addition, s'il vous plaît.

Savez-vous manger?

 De quoi avons-nous besoin?

Regardez le tableau des quatre groupes d'aliments, étudiez les mots, puis écoutez l'enregistrement.

 À quel groupe appartiennent-ils?

Le mouton → C'est un aliment du premier groupe.

1. Le pain
2. Le veau
3. Les sardines
4. Les haricots
5. Les carottes
6. Le yaourt
7. La salade
8. Les œufs

ARTICLE DÉFINI
Sens général

J'aime	le	poisson.
	la	viande.
	les	pâtes.
Je n'aime pas	les	frites.

ARTICLE PARTITIF
Sens restrictif

Je veux	du	poisson.
	de la	viande.
	des	pâtes.
	de l'	eau.
Je ne veux pas	de	frites.

 Est-ce que vous aimez ça?

Le yaourt : Oui, j'aime le yaourt. / Non, je n'aime pas le yaourt.

1. Les oranges
2. Le fromage
3. Les pommes de terre
4. Le lait
5. Le saumon
6. Le porc
7. Les pâtes
8. Le riz
9. L'eau
10. Le mouton

 Qu'est-ce qu'il prend aux trois repas?

Complétez avec un article défini ou un article partitif.

Le matin, au petit déjeuner, je prends . . . . . thé ou . . . . . café au lait avec deux morceaux de sucre et . . . . . croissants. Je ne prends pas . . . . . confiture.
À midi, au déjeuner, je mange . . . . . viande ou . . . . . poisson et . . . . . légumes. Je prends souvent . . . . . fromage. Je bois . . . . . eau. Je n'aime pas . . . . . vin.
Le soir, au dîner, je ne mange pas . . . . . viande. Je prends . . . . . œufs ou . . . . . poisson. Je ne mange pas beaucoup . . . . . pain.

Que mangez-vous?

Demandez à un(e) autre étudiant(e) ce qu'il/elle mange et boit au petit déjeuner, à midi, le soir.

– *Tu bois du café au lait le matin?*
– *Non, je n'aime pas le café. Je prends du thé.*

NOTRE TEST

Choisissez une des trois réponses proposées : A, B ou C. Regardez le document de la page 93

1. Par jour un adulte a besoin de :
    A. 3 000 calories ;   B. 1 800 calories ;   C. 2 400 calories.

2. Chaque jour il faut boire :
A. 2 verres de vin ;   B. 1 litre et demi d'eau ;   C. 1 litre de lait.

3. Un quart de baguette de pain est l'équivalent de :
A. 100 g de fromage ;   B. 100 g de pommes de terre ;   C. 1 biscotte.

4. Si vous avez faim entre les repas, vous pouvez manger :
A. du pain avec du fromage ;   B. des gâteaux secs ;
C. un yaourt ou une pomme.

5. Le plat préféré des Français est le bifteck frites. Est-ce que c'est un plat équilibré ?
A. Oui.   B. Non.

Réponses :

1.C – 2.B – 3.A – 4.C – 5.B.

7

Savez-vous manger?

Pour être en bonne santé nous avons besoin d'un régime alimentaire équilibré et d'environ 2 000 à 2 500 calories par jour.
Mais savez-vous ce que vous mangez?

On peut classer les aliments en 4 grands groupes:

Groupe 1 – La viande, le poisson, les œufs...

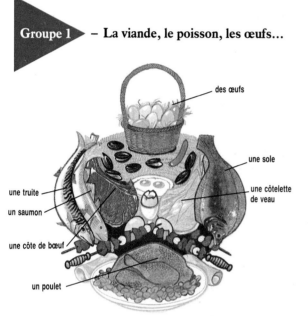

des œufs
une sole
une truite
un saumon
une côtelette de veau
une côte de bœuf
un poulet

... sont riches en protéines.

Groupe 3 – Le lait et le fromage...

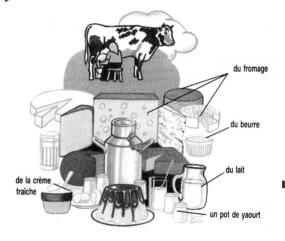

du fromage
du beurre
du lait
de la crème fraîche
un pot de yaourt

... contiennent beaucoup de vitamines.

Groupe 2 – Les fruits et les légumes verts...

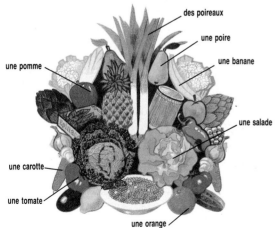

des poireaux
une poire
une banane
une pomme
une salade
une carotte
une tomate
une orange

... contiennent beaucoup de vitamines.

Groupe 4 – Les céréales et les légumes secs...

une baguette de pain
des haricots secs
un gâteau
des pâtes
du riz

... sont riches en protéines.

LE PRONOM « EN » (= DE + nom)

Tu bois de l'eau ?

→ Oui, j'**en** bois. (= Oui, je bois de l'eau.)

Tu prends du sucre ?

→ Non, je n'**en** prends pas.

(= Non, je ne prends pas de sucre.)

PRÉSENT DE « BOIRE »

Je	**bois**	Nous	**buv**ons
Tu	bois	Vous	buvez
Il/Elle	boit	Ils/Elles	**boiv**ent

 « Boire » est un verbe irrégulier (3e groupe).

PRÉSENT DE « MANGER »

Je	mange	Nous	mang**e**ons
Tu	manges	Vous	mangez
Il/Elle	mange	Ils/Elles	mangent

 et aussi chang**e**ons, boug**e**ons, nag**e**ons...

6 ▶ Non, merci !

Dites poliment que vous n'en voulez pas.

Tu prends des frites ? → Non, merci, je n'en prends pas.

1. Vous voulez du fromage ?
2. Vous buvez du vin ?
3. Tu veux des gâteaux secs ?
4. Prends du café.
5. Vous prenez du sucre ?
6. Bois un peu de thé.

7 ▶ Qu'est-ce que vous mangez ?

Est-ce que vous mangez des légumes avec votre viande ?
→ Oui, j'en mange. / Non, je n'en mange pas.

Est-ce que vous...
1. ... mettez du sucre dans votre café ?
2. ... mangez du pain avec les légumes ?
3. ... mettez du lait dans votre café ?
4. ... prenez de la salade avec le fromage ?
5. ... mettez de l'eau dans votre vin ?
6. ... mangez de la viande avec du poisson ?
7. ... mangez du pain avec les pâtes ?

Combien y a-t-il de calories (c.)
dans ces aliments ? (en moyenne)

100 g viande	200 c.
100 g poisson maigre	90 c.
(sole, truite)	
100 g poisson gras	200 c.
(sardine, saumon)	
100 g poulet	150 c.
1 œuf	75 c.

100 g pain	260 c.
100 g farine	360 c.
100 g pâtes	375 c.
100 g légumes secs	350 c.
1 biscotte	25 c.
1 litre d'eau	0 c.

1 tomate	24 c.
1 salade	20 c.
1 carotte	45 c.
100 g pommes de terre	90 c.
1 banane	70 c.
1 orange / pomme / poire	60 c.

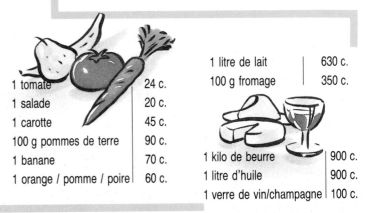

1 litre de lait	630 c.
100 g fromage	350 c.
1 kilo de beurre	900 c.
1 litre d'huile	900 c.
1 verre de vin/champagne	100 c.

EXPRESSION DE LA QUANTITÉ

• Combien de... ?

Combien d'eau est-ce que tu bois par jour ?   ⟶   J'**en** bois **un** litre.

Combien de sucres est-ce que vous voulez ?   ⟶   J'**en** veux **deux** morceaux.

Combien de pommes est-ce que vous prenez ?   ⟶   J'**en** prends **trois** kilos.

• Un peu de lait / d'eau ≠ Beaucoup de lait /d'eau

Tu bois beaucoup d'eau ?   ⟶   · Oui, (j'en bois) beaucoup.

Tu mets du lait dans ton café ?   ⟶   Oui, (j'en mets) un peu.

Tu manges beaucoup de fruits ?   ⟶   Oui, (j'en mange) beaucoup.

Tu manges beaucoup de pain ?   ⟶   Non, (je n'en mange) pas beaucoup.

---

8 ▶ **Combien est-ce qu'ils en veulent ?**

Faites les questions et les réponses.

1. un kilo de farine   **4.** une bouteille de lait

2. 200 grammes de fromage   **5.** un litre d'eau

3. une livre de viande (= 1/2 kilo)   **6.** trois biscottes

9 ▶ **Combien en voulez-vous ?**

Écoutez la conversation, puis jouez-la avec un(e) autre étudiant(e). Demandez une chose différente chaque fois.

– *Bonjour. Je peux vous aider ?*

– *Vous avez des pommes ?*

– *Mais oui, madame. Combien en voulez-vous ?*

– *J'en veux un kilo, s'il vous plaît.*

10 ▶ **Combien y a-t-il de calories dans ces rations ?**

Consultez la page précédente.

Dans 150 g de bœuf ? → Dans 150 grammes de bœuf, il y en a 300.

1. Dans 50 grammes de fromage ?

2. Dans un quart de litre de lait ?

3. Dans 30 grammes de beurre ?

4. Dans 2 verres de vin ?

5. Dans une coupe de champagne ?

6. Dans 2 œufs ?

7. Dans une tasse de thé sans sucre ?

8. Dans un verre d'eau ?

11 ▶ **Préparez les trois menus d'une journée** (petit déjeuner, déjeuner, dîner) pour un total de 2 000 à 2 200 calories.

LA ROUE TOURNE

1 **Qu'est-ce qu'on voit ?**

Avant d'écouter, regardez les dessins et essayez de deviner l'histoire. Posez-vous des questions sur les dessins.

7

2 **Rétablissez la vérité.**

Écoutez le dialogue et corrigez ces affirmations.

1. Émilie veut aller au club avec ses parents.
2. Thierry prend la parole pour donner des conseils aux autres.
3. Ils vont déjeuner tous les jours au restaurant.
4. Ils n'ont pas besoin d'emporter de nourriture.
5. Il faut prendre des couvertures parce qu'il fait froid la nuit.
6. Il n'est pas nécessaire d'emporter un imperméable.
7. Ils vont porter tous leurs bagages sur leur vélo.
8. Ils partent à Cahors en vélo.

3 **Qu'est-ce qu'ils vont faire ?**

1. Que vont faire M. et Mme Delcour au club ?
2. De quoi est-ce que le groupe va discuter ?
3. Où est-ce que les randonneurs vont manger le soir ?
4. Comment est-ce qu'ils vont manger à midi ?
5. Qu'est-ce que chacun va emporter sur son vélo ?
6. Où est-ce qu'ils vont se retrouver ? Quand ?
7. Comment est-ce qu'ils vont aller à Cahors ?

ON VA ROULER PENDANT QU'ILS MANGERONT, Y AURA MOINS DE CIRCULATION !

FUTUR PROCHE → ALLER + Infinitif

Ce soir, ils **vont manger** au restaurant.
Le train **va partir** dans cinq minutes.

⚠ Le futur proche exprime une intention, un événement futur certain.

4 **Qu'est-ce qu'il leur conseille ?**
Qu'est-ce qu'il faut emporter ?

Faites la liste des conseils donnés par l'animateur.

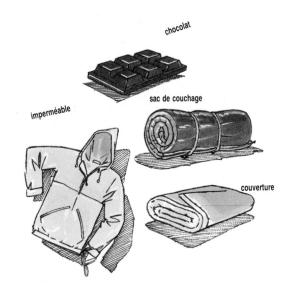

chocolat

imperméable

sac de couchage

couverture

5 **Trouvez les raisons.**

1. Pourquoi est-ce que les Delcour vont à la réunion du club ?
2. Pourquoi faut-il emporter un duvet ?
3. Pourquoi une voiture va-t-elle les suivre ?
4. Pourquoi ne faut-il pas prendre d'eau ?
5. Pourquoi faut-il avoir un peu de sucre et de chocolat ?
6. Pourquoi ne faut-il rien prévoir pour le dîner ?
7. Pourquoi faut-il emporter un imperméable ?
8. Pourquoi ne faut-il pas boire de vin à midi ?
9. Pourquoi ne vont-ils pas à Cahors en vélo ?
10. Pourquoi est-ce qu'Émilie s'intéresse au cyclotourisme ?

QU'EST-CE QU'IL FAUT EMPORTER ?

VOUS SORTEZ ?

OUI, ON VA AU CLUB POUR PRÉPARER LA RANDONNÉE.

AH, C'EST VRAI, JE PEUX VENIR AVEC VOUS ?

AU CLUB ?

MAIS NON, EN RANDONNÉE.

TOI ? TU T'INTÉRESSES AU VÉLO MAINTENANT ?

TU NE SAIS PAS POURQUOI ? DEVINE...

AU CLUB...

C'EST PEUT-ÊTRE VOTRE PREMIÈRE GRANDE SORTIE. N'HÉSITEZ PAS À NOUS POSER DES QUESTIONS ET À NOUS DEMANDER CONSEIL.

QU'EST-CE QU'IL FAUT EMPORTER POUR MANGER ?

C'EST BIEN FRANÇAIS, ÇA ! COMME VOUS LE SAVEZ, NOUS ALLONS MANGER LE SOIR AU RESTAURANT OU CHEZ L'HABITANT. MAIS, POUR LE DÉJEUNER, IL FAUT PRÉVOIR UN PIQUE-NIQUE.

QU'EST-CE QUE VOUS NOUS CONSEILLEZ D'ACHETER ?

PRENEZ DU FROMAGE ET DES FRUITS. VOUS POUVEZ AUSSI EMPORTER UN PEU DE CHARCUTERIE. PAS DE VIANDE, BIEN SÛR. AYEZ AUSSI UN PEU DE SUCRE OU DE CHOCOLAT. VOUS ALLEZ AVOIR DES EFFORTS À FAIRE ET ÇA PEUT VOUS ÊTRE UTILE !

COMBIEN D'EAU EST-CE QU'IL FAUT PRENDRE ?

ET DU VIN ?

EST-CE QU'IL FAUT EMPORTER DES COUVERTURES ?

PAS BEAUCOUP. C'EST LOURD ET ON PEUT EN TROUVER DANS TOUS LES VILLAGES. ET DU PAIN AUSSI.

AH NON. LE VIN, SEULEMENT LE SOIR... ET ENCORE ! CE N'EST PAS BON POUR VOUS. ÇA COUPE LES JAMBES.

PRENEZ PLUTÔT UN SAC DE COUCHAGE. C'EST LÉGER ET IL PEUT FAIRE FROID LA NUIT, MÊME EN CETTE SAISON.

ET N'OUBLIEZ PAS DE PRENDRE UN IMPERMÉABLE LÉGER. IL PEUT PLEUVOIR...

NATURELLEMENT. IL Y A UNE VOITURE POUR PORTER LE MATÉRIEL ET LES BAGAGES...

EST-CE QU'UNE VOITURE VA NOUS SUIVRE PENDANT TOUTE LA RANDONNÉE ?

UNE HEURE PLUS TARD.

ET MAINTENANT, PENSEZ À TOUT ÇA, ÉTUDIEZ BIEN LE PARCOURS ET LISEZ LE GUIDE. ET N'OUBLIEZ PAS NOTRE RENDEZ-VOUS ! NOUS ALLONS NOUS RETROUVER VENDREDI SOIR À CINQ HEURES ET QUART À LA GARE D'AUSTERLITZ. ET... EN ROUTE POUR CAHORS !

AH BON ! ON NE PART PAS EN VÉLO ?

6 **Vous pouvez les inventer !**

Dans la bande dessinée, on trouve deux emplois différents du verbe « pouvoir » :

a) demande de permission → *Je peux venir avec vous ?*
b) possibilité → *On peut trouver de l'eau dans les villages.*

Donnez des exemples de chacun de ces emplois. Cherchez dans cet épisode ou dans les épisodes précédents ou inventez des exemples.

 7 **Il y a un mais !**

Terminez les phrases.

1. Nous allons dormir quatre nuits à l'hôtel mais, les autres nuits...
2. Nous allons à Cahors en train mais...
3. Nous vous conseillons d'emporter des fruits mais...
4. Nous préparons la randonnée au club mais...
5. Émilie ne s'intéresse pas au vélo mais...

 8 **Qu'est-ce qu'il faut acheter ?**

Christian et Maryse font des courses au supermarché avant le départ. Complétez les réponses de Maryse.

1. Tu achètes un guide ? Oui . . . . .
2. On a du chocolat ? . . . . . Ça peut être utile.
3. Et de l'eau ? . . . . .
4. Je prends de la viande ? . . . . . Ça se gâte.
5. Tu veux de la charcuterie ? . . . . .
6. Regarde. Ils ont de belles couvertures. . . . . . Nos sacs de couchage sont assez chauds.

• Jouez la scène au supermarché avec un(e) autre étudiant(e).

 9 **Vous allez partir en voyage !**

Dites ce que vous faites pour vous préparer.

D'abord, je... Puis... Ensuite... Enfin...

 10 **Interview.**

Demandez à un(e) autre étudiant(e) quels sont ses projets ou ses intentions.

Qu'est-ce que tu vas / vous allez faire ce soir ? Demain ? Dimanche prochain ?...

 11 **Jeu de rôle.**
Vous désirez ?

Vous allez acheter dans un magasin des provisions pour un pique-nique. Jouez la scène avec un(e) autre étudiant(e).

– *Vous désirez ? / Qu'est-ce que vous voulez ?*
– *Donnez-moi / Est-ce que vous avez...*
– *Mais oui. Vous en voulez combien ?...*

12 **Jeu de rôle.**
Vous invitez une amie au restaurant.

Vous lui demandez ce qu'elle aime et ce qu'elle veut prendre. Vous lui donnez des conseils.

13 **Jeu de rôle.**
Vous êtes médecin.

Vous donnez des conseils de diététique à un sportif, puis à un mannequin. Ils vous demandent ce qu'ils peuvent manger et boire...
Jouez la scène avec un(e) autre étudiant(e).

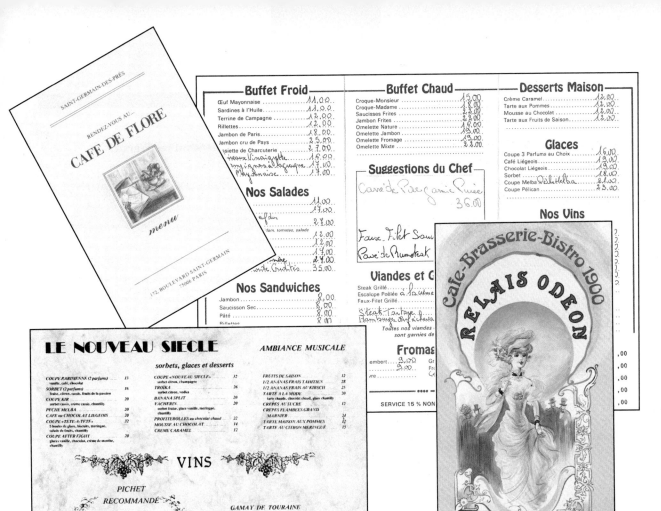

DES SONS ET DES LETTRES

■ Le « e » caduc

Ne prononcez pas le « e » à la fin des mots :
    Tu n(e) prends pas d(e) lait.

Mais :

– Prononcez le « e » dans la première syllabe d'une phrase.
    Le deuxièm(e) group(e) comprend...
    Je n(e) prends pas d(e) lait.

– Prononcez « es » [ɛ] dans :
    les, des, mes, tes, ses, ces...

– Prononcez le « e » entre trois consonnes.
    Le premier group(e).

☐ Prononcez :
    [g] *guide - gare - grand*
    [ʒ] *mangeons - fromage - léger*
        déjeuner - jouer - jaune

■ Intonation : articulation montante-descendante

☐ Prononcez :
    Au restaurant ou chez l'habitant.
    Pour le déjeuner il faut prévoir un pique-nique.
    Combien d'eau est-ce qu'il faut prendre ?
    C'est léger et il peut faire froid la nuit.

7

▲ *L'Assiette au beurre.*

Chez Maxim's. ▼

1 Lisez le texte et dites comment il est construit.

Le schéma ci-dessous représente les quatre paragraphes du texte. Mettez un des titres suivants dans chacune des quatre cases.

a) Tendance à l'amélioration.
b) Habitudes alimentaires anciennes.
c) Nouvelles habitudes.
d) Importance de la table.

1 ☐   3 ☐

2 ☐   4 ☐

2 Comment mangent les Français ?

1. Quelles sont, statistiquement, les plats préférés des Français ?
2. Est-ce que tous les Français sans exception préfèrent le bifteck-frites ?
3. Que donnent les maîtresses de maison à leurs invités ?
4. Combien y a-t-il de plats dans un repas traditionnel ?
5. Quelle habitude ont pris les cadres et les hommes d'affaires ?
6. Quelles sont les nouvelles habitudes des Français moyens ?
7. À qui s'adresse ce texte ? (Quel est le pronom utilisé par l'auteur ?)

3 Résumez chaque paragraphe en une phrase.

Choisissez une des phrases ci-dessous pour résumer chacun des quatre paragraphes du texte ou bien créez vos propres phrases.

a) Les habitudes sont en train de changer.
b) On passe six ans de sa vie à manger.
c) Manger mieux pour mieux vous porter.
d) Il existe en France une tradition de la table.

4 Quelle est votre impression dominante ?

Choisissez un titre pour cet article.

a) Pour vivre mieux mangez mieux.
b) Les habitudes alimentaires des Français.
c) Le Français moyen mange moins.

Dites si ce texte est surtout, à votre avis :

– une information objective sur les habitudes alimentaires des Français,
– un conseil personnel donné au lecteur.

• MODES DE VIE •

Notre époque
Êtes-vous
un Français moyen
à table ?

Un pot-au-feu bourbonnais. ▲

◀ Un repas pour 5 francs.

En bas : «Nouvelle cuisine».

Une potée aux lentilles.

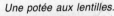

Dans une vie vous prenez environ 50 000 repas. Si vous comptez une moyenne d'une heure par repas, vous passez environ six ans de votre vie à manger. Il y a là de quoi réfléchir !
Est-ce que, comme 42% des Français, vous préférez toujours le bifteck-frites ? Est-ce que, comme eux, vous aimez la sole et le bœuf bourguignon ? Qu'est-ce que vous offrez à vos invités ? De la nouvelle cuisine légère ou, comme la majorité des maîtresses de maison françaises, un repas traditionnel avec une entrée, du poisson ou de la viande, de la salade, du fromage, un dessert et des vins ? Est-ce que vous faites encore, comme la plupart des cadres et des hommes d'affaires, des repas d'affaires riches en calories et souvent en alcool ?

Les Français ont deux records du monde : celui de la consommation de vin et celui de la consommation d'eau minérale !

Ou bien est-ce que votre repas de midi, souvent pris dans un self-service, se limite à un seul plat suivi, quelquefois, d'un petit dessert et d'un café ? Est-ce que votre repas du soir, pris en famille, n'est pas trop lourd ? Est-ce que vous consommez moins de pain et de pommes de terre ? Est-ce que vous buvez moins de vin aux repas et plus d'eau minérale ?
Si vous vous reconnaissez dans ces dernières remarques, c'est que, comme le Français moyen, vous mangez moins (sauf peut-être pour les fêtes), vous faites attention à votre ligne, vous lisez peut-être des articles sur la diététique, vous dépensez moins pour la nourriture, et vos artères se portent mieux ! ∎

Quel est votre repas préféré ?

5 Un dîner en famille.

Recopiez le texte suivant et ajoutez la ponctuation et les majuscules.

mon repas préféré est le dîner nous le prenons toujours à huit heures et demie après le bulletin d'information à la télévision
c'est tous les soirs un grand repas avec hors-d'œuvre viande ou poisson légumes fromage et dessert la cuisine de ma mère est toujours excellente
toute la famille est autour de la table nous parlons de notre journée nous discutons des nouvelles du jour nous faisons des projets nous restons longtemps à table ce repas du soir est très important pour nous tous et nous sommes toujours à l'heure

6 Comment est organisé le texte ci-dessus ?

Dans quel paragraphe est-ce qu'on trouve :
– les raisons de la préférence ;
– le moment de la journée ;
– les sujets de conversation ;
– la composition du repas.

7 Préparez un texte pour décrire votre repas préféré de la journée.

Donnez :
– les circonstances (moment de la journée, où, avec qui, durée),
– la composition du repas,
– les raisons de votre préférence (ce que vous faites en même temps, les gens avec qui vous êtes, importance de ce moment dans vos journées...).

8 Écrivez votre texte, puis relisez-le, critiquez-le et améliorez-le si possible.

9 Écrivez un court article sur les habitudes alimentaires dans votre pays.

– Quelle est l'importance de la table dans votre pays ?
– Quelles sont les traditions et les habitudes alimentaires ?
– Quels sont les repas ? À quelles heures de la journée ?
– Est-ce que les habitudes changent ?...

Le banquet, dans « Astérix ». ▶

▼ *Scène du film « La Kermesse héroïque », de Jacques Feyder.*

Mémoires d'ordinateur

« Ne siffle pas, Éric, ça me gêne. »

— Excuse-moi, Victor. Je suis content. Ce soir, j'emmène Sylvie au restaurant... pour parler boulot, évidemment. Tiens, à ce propos, tu peux me sortir une petite liste de restaurants sympas.

« Lasserre
La Tour d'Argent
Le Doyen
La Pérouse »

— J'apprécie ton humour, Victor, mais pas au-dessus de cinq cents francs le repas !

« Je n'ai pas d'humour, tu le sais bien. »

— Bon, d'accord. Eh bien, je vais me débrouiller tout seul. Salut !
... Ça y est, je sais où je vais l'emmener !

— J'espère que vous aimez le poisson, Sylvie.
— Pas trop, mais j'adore les fruits de mer.
— Je suis désolé, je...
— Ne soyez pas désolé. Je vais prendre de la viande, je suis sûre qu'elle est excellente.
— Prenez la côte de bœuf à la moelle, c'est une de leurs spécialités. Vous savez que cette robe vous va très bien ?
— Merci. Euh... dites, on peut parler sérieusement... enfin, je veux dire, au sujet de l'enquête. Je suis inquiète.

— Moi aussi. Au fait, pas de problème avec le nouveau logiciel ?
— Jusqu'à présent, ça va. Éric, qu'est-ce que ça veut dire « moi aussi » ? Vous n'avez pas l'intention d'abandonner les recherches ?
— Non. Mais...

Le serveur s'approche. Ils interrompent leur conversation.

— Qu'est-ce que vous prenez ? Madame.
— Une douzaine d'huîtres et une côte de bœuf. Bleue.
— Très bien. Et pour monsieur ?
— Un foie gras pour commencer et... votre saumon, il est bien ?
— Parfait, monsieur.

Le garçon s'éloigne. Éric s'explique.

— Euh... oui, je n'avance pas. La piste des sociétés concurrentes ne donne rien. La piste des pays étrangers n'est pas très sérieuse. Reste la possibilité d'une vengeance. Je vais en parler à Victor demain. Et, en plus, je suis incapable de trouver les causes de ce virus. Il ne correspond à aucun schéma connu. Donc, pas moyen de trouver de vaccin, et... Dites, vous êtes sûre que vous voulez parler boulot ?
— On est là pour ça, non ?

Pauvre Éric ! Qu'est-ce qu'on peut répondre à ça ?

MAGAZINE

L'addition s'il vous plaît !

Brasserie « La Coupole ».

Il faut savoir que :

– on peut manger des sandwichs, des omelettes et des pâtisseries dans beaucoup de cafés ;
– le service (15%) est inclus dans l'addition. Aussi vous n'êtes pas obligé de laisser un pourboire.

Un restaurant chinois.

Restaurant Lapérouse.

Étal de fruits de mer.

En France, vous pouvez trouver :

– **tous les types de restaurants :** les resto-pouce (équivalent français de « fast-food »), les petits bistrots de quartier, les crêperies (elles sont en général « bretonnes »), les brasseries, et les restaurants (de l'anonyme au grand restaurant quatre étoiles) ;

– **tous les types de cuisine :** de la cuisine bourgeoise traditionnelle à la « nouvelle » cuisine ;

– **toutes les spécialités :** françaises et étrangères, régionales, de poisson, etc. ;

– **à tous les prix :** de 50 à 500 francs et plus, par repas !

Un bistrot.

INFORMATIONS /
PRÉPARATION
Ici Radio Côte d'Azur !

PAROLES
LA ROUE TOURNE :
« On fait la course ? »

LECTURES /
ÉCRITURES
Autour d'un film

FEUILLETON :
Mémoires d'ordinateur

MAGAZINE :
Allons au spectacle
à Paris...

Gérard Depardieu au Festival de Cannes.

8

Ici Radio Côte d'Azur !

 De quoi s'agit-il ?

Écoutez le reportage et dites :

1. Qui parle ?

2. De quoi et de qui ?

3. Pour qui ?

4. Où et quand ?

5. À quelle occasion ?

6. Pourquoi ?

 Que se passe-t-il ?

1. Où le journaliste de la radio se tient-il ?

2. Pour quelle radio travaille-t-il ?

3. Où les gens se tiennent-ils ?

4. Qu'est-ce que Gérard Depardieu va faire à 11 heures 30 ?

5. Où va-t-il déjeuner ?

6. Pourquoi Gérard Depardieu monte-t-il le grand escalier ?

7. Pourquoi Gérard Depardieu est-il la vedette du jour ?

 Quel est son programme pour la journée ?

Faites la liste de ce que Gérard Depardieu a à faire. Imaginez ce qui n'est pas dit dans le reportage.

 À quoi se réfèrent ces mots ?

Retrouvez les mots suivants dans le texte (p. 3). Dites à quoi ils renvoient.

en (ligne 6) : du temps splendide

1. ici *(ligne 8)* : . . . .

2. Ils *(ligne 18)* : . . . .

3. le *(ligne 23)* : . . . .

4. en *(ligne 32)* : . . . .

5. lui *(ligne 36)* : . . . .

6. nos *(ligne 38)* : . . . .

 Quels sont ces mots et ces expressions ?

Dans le texte, relevez :

– les expressions de temps ;

– les expressions de lieu ;

– les mots associés à l'idée de vacances ;

– les mots associés au cinéma.

 Juste un mot pour nos auditeurs !

Vous êtes Olivier Lambert et vous posez quelques questions à Gérard Depardieu pour les auditeurs de Radio Côte d'Azur.

Jouez la scène avec un autre étudiant.

3 8ᵉ F E S T I V A L
I N T E R N A T I O N A L
D U   F I L M

Une réception dans le cadre du Festival de Cannes.

Ici Radio Côte d'Azur !

Ici Radio Côte d'Azur, la radio du soleil et de la joie de vivre. Olivier Lambert vous parle du Palais des Festivals. Il fait un temps splendide à Cannes. Comme vous le savez, ce n'est pas toujours vrai
5   au mois de mai, pendant le Festival. Aussi, profitons-en !

Depuis un quart d'heure, je suis en haut du grand escalier, dans le groupe des journalistes. D'ici, nous pouvons voir la Croisette, les palmiers, la mer et
10   aussi des centaines de personnes groupées autour du Palais, sur les trottoirs et même sur l'avenue. Tout ce monde attend, comme nous, l'arrivée de la vedette, de la grande vedette du jour, Gérard Depardieu.

15   Combien de temps encore allons-nous attendre ?... Eh bien, pas longtemps ! En effet, je vois deux motards de la police et, juste derrière eux, une grosse voiture noire. Ils avancent lentement. Les gens regardent dans la voiture pour voir leur vedette pré-
20   férée. On entend d'ici les acclamations...

Il est déjà onze heures, mais la journée de Gérard Depardieu va être chargée. Dans quelques minutes, le président du Festival va le recevoir. À onze heures trente, il va répondre aux questions des jour-
25   nalistes. Espère-t-il avoir le prix d'interprétation cette année ? Quel film va-t-il tourner ? Combien de temps va-t-il rester à Cannes ?

Après la conférence de presse, le comité du Festival organise pour lui, à treize heures, un grand
30   déjeuner à La Palme d'Or, le restaurant de l'hôtel Martinez...

Mais la voiture s'arrête. Gérard Depardieu en descend. Il monte les marches du grand escalier. Il serre des mains. Il sourit. Il signe des autographes. On
35   le salue. Il salue. Il arrive près de nous. Voilà. Nous allons pouvoir lui parler.

— Gérard, arrêtez-vous un instant. Juste un mot
38   pour nos auditeurs...

UN SIGNAL INTERROGATIF : L'INVERSION PRONOM SUJET-VERBE

D'où	est-ce qu'ils viennent ? **viennent-ils ?**	Où	est-ce qu'il travaille ? **travaille-t-il ?**
Quand	est-ce que vous venez ? **venez-vous ?**	Qu' Que	est-ce qu'il prend ? **prend-il ?**

- Si le verbe à la 3e personne ne se termine pas par *t* ou *d*, on ajoute *-t-* : *Où va-t-il ?*
- L'inversion est une forme du parler soigné ou de l'écrit. Elle est assez rare en conversation courante.
- Si le sujet est un nom (et pas un pronom) on conserve le nom et on ajoute le pronom correspondant :
  Quand Gérard Depardieu arrive-t-il ?

7 ▶ Que sait-il ?

Posez des questions à Olivier Lambert.
Demandez-lui ...

... *d'où vient Gérard Depardieu.* → *D'où vient-il ?*

1. ... pourquoi tous ces gens sont là.
2. ... pourquoi les deux motards accompagnent la voiture.
3. ... où va Gérard Depardieu.
4. ... quel avion il prend.
5. ... ce qu'il va dire aux journalistes.
6. ... s'il espère avoir le prix d'interprétation.
7. ... quand il repart.
8. ... quand a lieu la conférence de presse.
9. ... où on présente le film de Depardieu.
10. ... si Gérard Depardieu va présenter le film.

QUESTIONS AVEC « QUI » ET « QUE »

			SUJET		
PERSONNE	**Qui**	est-ce	**qui**	parle ?	(C'est) Olivier Lambert.
CHOSE	**Qu'**			arrive ?	(C'est) une grosse voiture.
			OBJET		
PERSONNE	**Qui**	est-ce	**que**	tu vois ?	(Je vois) Olivier Lambert.
CHOSE	**Qu'**				(Je vois) une grosse voiture.

8 ▶ Qu'est-ce qu'on va voir ?

Répondez.

1. Qui est-ce qui est en haut du grand escalier ?
2. Qui est-ce qu'on attend ?

3. Qu'est-ce que Gérard Depardieu va faire ?
4. Qui est-ce qui descend de la voiture ?
5. Qui est-ce qui va le recevoir ?
6. Qu'est-ce qu'Olivier Lambert demande à Depardieu ?

9 **Qui est-ce qui vous parle ?**

Posez des questions sur les mots soulignés.

1. Olivier Lambert vous parle.

2. On attend Gérard Depardieu.
3. La vedette arrive.
4. On entend des acclamations.
5. Le président va le recevoir.
6. Les gens le saluent.

INTERROGEZ SUR LA DURÉE : COMBIEN DE TEMPS... ?

Dans		arrive-t-il ?	Dans dix minutes.
Depuis	combien de temps	est-il à Cannes ?	Depuis hier
Pendant		va-t-il rester ?	Un jour.

 10 **Combien de temps ?**

1. Depuis combien de temps Olivier Lambert est-il devant son micro ?
2. Dans combien de temps arrive la vedette ?
3. Depuis combien de temps les gens attendent-ils ?
4. Dans combien de temps commence la conférence de presse ?
5. Pendant combien de temps va-t-il répondre aux journalistes ?

Combien de temps ça va durer ?

 11 **« Dans, pendant, depuis »**

Complétez ces phrases

1. Il ne fait pas toujours beau . . . le festival.

2. La vedette va arriver . . . un quart d'heure.
3. Nous attendons . . . une heure.
4. La conférence de presse est . . . une demi-heure.
5. Les gens l'acclament . . . son arrivée.
6. Je ne veux pas rester debout . . . tout le film.

« CONNAÎTRE » ET « SAVOIR »

JE CONNAIS + nom	JE SAIS que / si / où ... / JE SAIS + infinitif	
Je connais le festival.	Tu sais faire un reportage ?	SAVOIR + nom
Nous connaissons son adresse.	Savez-vous s'il fait beau ?	(par cœur)
Ils connaissent Cannes.	Ils savent que c'est la vedette.	Je sais ma leçon.

12 **« Savoir » ou « connaître »...**

... son nom ? → *Tu connais son nom ?*

1. . . . son prénom ?
2. . . . s'il vient au Festival ?
3. . . . la France ?
4. . . . parler français ?
5. . . . combien de temps ça dure ?
6. . . . la liste des films ?

13 **Vous avez la parole.**

Interviewez un(e) autre étudiant(e) à propos de cinéma. Utilisez « savoir » ou « connaître » dans vos questions.

Tu connais . . . ?

Tu sais . . . ?

(Le nom du film, l'endroit où on le donne, les noms des acteurs, le sujet du film, sa qualité...)

1 Qu'est-ce qu'on voit ?

Regardez rapidement la bande dessinée et essayez de deviner l'histoire.

2 Que se passe-t-il ?

Écoutez et prenez des notes.
Donnez la liste des événements dans l'ordre du récit.

3 Qu'est-ce qu'ils sont en train de faire ?

Dites ce que font les personnages.

> **ÊTRE EN TRAIN DE + infinitif = action en cours**
> Charlotte **est en train de** réparer sa roue.
> Charlotte répare sa roue.

4 Qu'est-ce qui va se passer ?

Les randonneurs ... dans une ferme. → *Les randonneurs vont dormir dans une ferme.*

1. Les randonneurs . . . 300 kilomètres.
2. Thierry . . . Charlotte.
3. Thierry et Charlotte . . . la course.
4. Le fermier . . . les Parisiens.
5. Les randonneurs . . . du cidre.

5 Pourquoi ?

1. Pourquoi est-ce que les randonneurs peuvent faire Cahors-Gourdon en une journée ?
2. Pourquoi est-ce que Thierry s'arrête ?
3. Pourquoi est-ce que Charlotte se fâche ?
4. Pourquoi est-ce que les randonneurs ont soif ?
5. Pourquoi est-ce qu'il est difficile d'aller de Padirac à Rocamadour en vélo ?

6 Gardez le contact !

Trouvez dans le dialogue :
– deux expressions pour attirer l'attention de l'interlocuteur ;
– deux expressions pour montrer qu'on écoute bien ou pour confirmer ce qui est dit.

7 Qu'est-ce qu'ils expriment ?

Écoutez les six phrases enregistrées. Dites ce qu'elles expriment. Choisissez chaque fois une des possibilités suivantes :

– demande d'information,	– doute,
– appréciation,	– irritation,
– confirmation,	– offre d'aide.

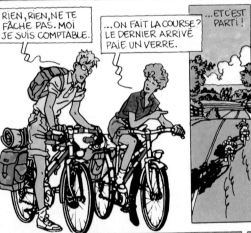

Rocamadour.

PRONOM « Y » = à + nom de lieu

Ils vont à Sarlat. Charlotte va **y** arriver avant eux.
Ils vont dîner dans une ferme. On **y** mange bien.

Posez-leur des questions sur :
– les distances à parcourir,
– les endroits à visiter,
– les endroits où ils vont dîner et dormir,
– le temps qu'ils vont mettre...

8 **Que représente « y » ?**

Ils y vont en train. *« y » = à Cahors.*

1. Ils vont **y** arriver à la fin de la première journée.
2. Ils vont **y** dormir jeudi soir.
3. Charlotte peut prendre le car pour **y** aller.
4. Le fermier **y** descend pour aller chercher du cidre.
5. Ils **y** mangent tous.

9 **Ils y vont !**

Répondez en remplaçant les mots soulignés par le
pronom « y ».

*Combien de temps faut-il aux randonneurs pour aller
à Sarlat ? → Ils peuvent y aller dans la journée.*

1. Quand Charlotte va-t-elle arriver à Sarlat ?
2. Que vont faire les randonneurs à la ferme ?
3. Pourquoi le fermier va-t-il descendre à la cave ?
4. Comment les randonneurs vont-ils retourner à Paris ?

10 **Interview
Qu'allez-vous faire ?**

Vous discutez de l'itinéraire avec le groupe des randonneurs.

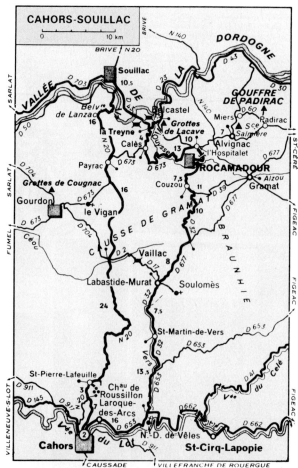

D'après Guide Vert Michelin
Périgord-Berry-Limousin. 13e édition.

11 Jeu de rôle
Une bonne surprise.

Un(e) ami(e) vous téléphone pour venir passer quelques jours chez vous pendant les vacances. Vous êtes
content(e). Vous lui demandez quand il/elle arrive,
combien de temps il/elle reste, ce qu'il/elle veut faire
et voir...

Le pont Valentré à Cahors.

Saint-Cirq-Lapopie.

12 On les attend !

Des Français viennent en excursion dans votre pays.
Préparez un circuit touristique. Choisissez un itinéraire.
Travaillez en groupes.

Proposez : Ils peuvent partir de / aller à / coucher à /
manger à / visiter...
Discutez : Tu crois vraiment qu'ils peuvent...

8

DES SONS ET DES LETTRES

■ **Pas de liaisons entre groupes rythmiques mais des enchaînements obligatoires**

Trois cents kilomètres en une semaine.

On te garde une place au restaurant.

Je vais y être avant vous à Sarlat.

J'ai du bon cidre à la cave.

Tout le monde est assis autour d'une table.

■ **Pas de liaison avec « et »**
... et ils rient.
Et il y a des côtes.
Et avec ma femme sur le porte-bagages !

■ **Intonation : l'exclamation appréciative**

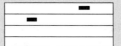

Quelle fête !   *Quel bon dîner !*

■ **Marquez votre appréciation**

Vous venez de :
– voir un beau film ;
– boire du bon cidre ;
– rencontrer un homme sympathique ;
– voir une jolie femme ;
– visiter une belle ville.

8

*Auguste Rodin
Le Baiser, 1886.*

ANTICIPEZ

1 **Regardez les illustrations et les textes de la page 115.**

1. De quoi parlent ces quatre textes ?
2. Qui est l'héroïne (le personnage principal) ?

METTEZ EN ORDRE

2 **Faites une fiche sur le film.**

1. Titre du film : . . . .
2. Date de sortie : . . . .
3. Nom du metteur en scène : . . . .
4. Acteurs principaux : . . . .
   . . . .
5. Genre (comédie, aventure, policier, drame psy-
   chologique, fantastique...) : . . . .
   . . . .
6. Thème : . . . .
7. Commentaires critiques : . . . .
   . . . .

RECHERCHEZ LES FAITS

3 **Comment est organisé le premier texte ?**

Ce texte comprend une présentation du film, un résumé de l'histoire et des commentaires du critique. Retrouvez ces trois éléments dans le texte.

INTERPRÉTEZ

4 **Pouvez-vous résumer l'histoire ?**

Préparez un résumé pour un programme de spectacles. (Vous n'avez droit qu'à quarante mots au maximum !)

1. Éliminez tous les mots qui ne sont pas essentiels.
Le grand sculpteur Rodin, Gérard Depardieu, prend la jeune Camille Claudel, Isabelle Adjani, comme élève, puis comme maîtresse. → *Rodin prend Camille Claudel comme élève, puis comme maîtresse.*

2. Récrivez les phrases si c'est nécessaire et liez-les entre elles.
Camille Claudel devient l'élève, puis la maîtresse de Rodin.

3. Faites la liste des critiques positives et négatives sur le film, sur les acteurs, sur l'histoire, sur la photographie... dans les quatre textes.

Isabelle Adjani et Gérard Depardieu dans le film Camille Claudel.

Autour d'un film

Voici quatre opinions sur un même film. À vous de juger !

Un film à voir

Camille Claudel est un film de Bruno Nuytten, sorti en 1988.

Le grand sculpteur Rodin, Gérard Depardieu, prend la jeune Camille Claudel, Isabelle Adjani, comme élève, puis comme maîtresse. Pendant plusieurs années, Camille sculpte pour Rodin, comme Rodin. Elle l'aide à réaliser ses *Bourgeois de Calais*. Mais Rodin ne veut pas abandonner sa femme et son fils, et Camille le quitte. Seule, elle lutte pendant de longues années pour affirmer son talent et prouver qu'elle n'imite pas Rodin. Mais, loin de sa famille, de son frère Paul, elle perd peu à peu la raison. On finit par l'enfermer dans un asile en 1913. Elle y meurt trente ans plus tard.

Les images sont belles, mais le film est un peu long – près de trois heures – et le tragique un peu théâtral. L'interprétation d'Adjani est cependant excellente.

Le film de la semaine

Camille Claudel de Bruno Nuytten avec Isabelle Adjani et Gérard Depardieu. Une grande artiste perd la raison dans sa passion pour Rodin et sa lutte désespérée pour affirmer son talent. Une tragédie longue de trois heures. Peu de pensées sublimes ou de révélations sur l'art et l'amour. La vérité historique n'est pas garantie.

Courrier des lecteurs

[...] Quel film ! Il dure près de trois heures, mais on ne voit pas le temps passer. Adjani est sublime dans le rôle de Camille Claudel. Elle joue la passion à la perfection. Depardieu est égal à lui-même, un bon Rodin, sans fausses notes, mais quelquefois sans éclat. Il faut dire qu'il n'a pas le beau rôle. Paul Claudel non plus : sa sœur va passer trente ans dans un asile et il ne fait rien pour l'aider [...]

[...] Je viens de voir le film sur les amours tragiques de Camille Claudel et d'Auguste Rodin. Mais la tragédie est trop noire – que peut faire Camille avec un père faible, une mère hostile, un frère lointain et un amant jaloux de son très grand talent – et le film traîne en longueur – il dure près de trois heures ! Il y a de belles images, mais ça ne suffit pas. Pour moi ce n'est qu'une tragédie triste et sans véritable émotion.

Camille Claudel
La Valse, 1893.

Faites la critique d'un film.

5   Définissez votre texte.

1. De quel film allez-vous parler ?
2. Qu'est-ce qui motive votre choix ?
3. À qui est destiné votre compte rendu :
   a) aux lecteurs d'un magazine ?
   b) à un(e) ami(e) ?
   c) aux lecteurs d'un programme de spectacles ?

6   Établissez la fiche technique du film.

Reportez-vous à la fiche de l'exercice 2, page 114.

7   Quel est le thème du film ?

1. Écrivez quelques lignes sans lever votre plume, sans corriger vos fautes, sans vous arrêter pour réfléchir.
2. Relisez ces lignes. Éliminez ce qui n'est pas important et réorganisez votre texte si nécessaire.

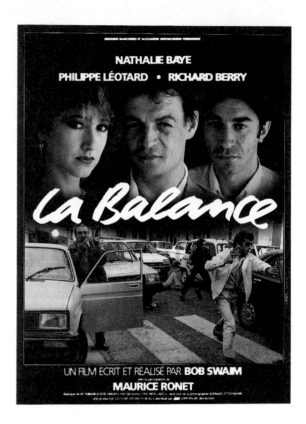

8   Écrivez un commentaire critique.

Quels sont vos commentaires sur le film, les acteurs, le metteur en scène, la photographie, l'histoire ?
L'histoire est-elle intéressante, bien construite, vraie ?
Les acteurs sont-ils de grandes vedettes ? Comment jouent-ils ?
Est-ce un grand film ? Pourquoi ?
Faut-il aller le voir ?

9   Rédigez une lettre (au courrier des lecteurs, à un(e) ami(e)...) ou un article critique pour un journal, à partir de vos productions précédentes.

10   Échangez votre texte avec celui d'un(e) autre étudiant(e). Essayez de les améliorer.

Mémoires d'ordinateur

Gérard Pascal entre dans le bureau. Éric semble nerveux, perplexe.

— Bonjour, Éric. La situation est grave, Éric, très grave !

— Ce n'est pas grave, c'est bizarre. C'est la première fois que je n'arrive pas à rentrer mes données.

— De quoi est-ce que vous parlez ?

— De Victor, bien sûr. Je ne sais pas ce qu'il a ce matin… Eh bien, et vous, de quoi est-ce que vous parlez ?

— Du nouveau logiciel !

— Qu'est-ce qu'il a, le nouveau logiciel ?

— Depuis trois jours on perd tous les calculs. Cause inconnue !

— Quoi !?.. Ça, alors !

Éric se lève brusquement. Il va vers la fenêtre, revient vers son bureau et s'assoit devant l'ordinateur. Quelques secondes passent, dans le silence.

— Ce n'est pas possible !

— Qu'est-ce qui se passe encore ?

— Lisez.

Gérard s'approche de l'écran. Il devient très pâle.

— C'est une plaisanterie !

— Ah oui ? Et vous en connaissez l'auteur ?

— Mais enfin, qui est-ce qui a intérêt à faire cela ?

— Ça, je n'en sais rien. Le nouveau logiciel malade, et maintenant, ça !

Éric lit à haute voix le message inscrit sur l'écran de Victor :

> VOUS POUVEZ UTILISER D'AUTRES LOGICIELS, ÇA NE VA RIEN CHANGER. SI VOUS NE VERSEZ PAS LA SOMME DE 10 MILLIONS DE FRANCS ET SI VOUS N'ARRÊTEZ PAS VOTRE PROJET MEURTRIER DE SOUS-MARIN, JE DÉTRUIS TOUS LES LOGICIELS DE VOTRE SOCIÉTÉ. À BIENTÔT.

— En tout cas, il faut être fort pour envoyer ce message par Victor…

Oui, pense Éric, il faut être vraiment fort pour pénétrer si vite dans un logiciel protégé. À moins que…

— Ses circuits sont brouillés, mais je vais essayer de les réparer et de l'interroger. Dites, qu'est-ce qu'il veut dire exactement par projet meurtrier ? Vous êtes sûr que je suis au courant de tout ?

— Vous voyez bien qu'il s'agit d'un fou !

— Et moi, qu'est-ce que je suis exactement ? Un imbécile ?… Il s'agit d'un sous-marin atomique, n'est-ce pas ?

— Oui.

— Qui peut être dangereux pour la vie sous-marine, et donc pour l'équilibre de la Terre ?

— Il y a des risques. Il y a toujours des risques. Mais…

— Je vois.

Une colonne Morris

La Comédie-Française

Allons au spectacle !

D'abord il faut s'informer.

Il existe trois magazines spécialisés : *Pariscope*, *7 à Paris* et l'*Officiel des Spectacles*. On les trouve dans tous les kiosques à journaux. On peut aussi consulter les pages spécialisées des hebdomadaires ou des journaux.

En général, pas de location préalable pour les cinémas et les expositions... et il faut souvent faire la queue !

Pour les théâtres et les concerts, on peut louer au théâtre, dans les grands hôtels et, le jour même, avec réduction, aux kiosques de la place de la Madeleine et du Forum des Halles.

À PARIS il y a environ :

- *100 théâtres et cafés-théâtres ;*
- *400 salles de cinéma ;*
- *200 salles d'exposition et galeries de tableaux ;*
- *80 musées.*

L'escalier de la pyramide du Louvre

L'Institut du monde arabe

Le toit du Palais Garnier

Le Centre Pompidou (Beaubourg)

QU'AVEZ-VOUS FAIT ?

DOSSIER

9

INFORMATIONS /
PRÉPARATION
**La première dame de la
haute-couture : Chanel.**

PAROLES
**LA ROUE TOURNE :
« Il n'a pas voulu venir ! »**

LECTURES /
ÉCRITURES
**REPORTAGE :
Une vie exemplaire.**

**FEUILLETON :
Mémoires d'ordinateur**

FAITES LE POINT.

La première dame de la haute couture.

 Quels sont les événements principaux ?

Lisez le résumé biographique. Puis, écoutez l'histoire de la vie de Mademoiselle Chanel et complétez les phrases ci-dessous.

1. Elle est née en...
2. Elle est arrivée à Paris en...
3. Elle a vendu des chapeaux...
4. Elle a ouvert une première maison de couture...
5. Elle a lancé...
6. Elle a créé son parfum...
7. Elle est partie pour la Suisse... Elle y est restée...
8. Elle est revenue à Paris...
9. Elle est morte...

 Qu'est-ce qu'elle a fait ?

1. À 25 ans ?
2. À partir de 1911 ?
3. En 1912 ?
4. En 1921 ?
5. De 1919 à 1939 ?
6. Pendant 15 ans à partir de 1939 ?
7. À 71 ans ?

 Ces adjectifs sont au féminin.

Elle porte une (beau) robe (long) de forme (nouveau) mais (classique) avec de (faux) perles. C'est une robe (difficile) à porter mais sa ligne est très (jeune) et elle ressemble aux (premier) créations de la (fameux) Mademoiselle Chanel, la (grand) dame de la (haut) couture (français).

 Que savez-vous d'elle ?

1. Où a-t-elle passé son enfance ?
2. Comment a-t-elle commencé dans la couture ?
3. Pourquoi a-t-elle créé sa première maison à Deauville ?
4. Quel style a-t-elle créé ?
5. Comment se présente la silhouette Chanel ?
6. Qu'est-ce qui a fait son succès ?
7. En quoi a-t-elle contribué à la libération de la femme ?
8. Est-ce que vous aimez le style Chanel ? Pourquoi ?

MASCULIN ET FÉMININ DES ADJECTIFS

Masculin	Féminin	De l'écrit	à l'oral
un style jeune	une silhouette jeune	1 seule forme	
un tailleur noir	une robe noir**e**	+ e	1 forme
un petit village	une petit**e** ville	+ e	+ consonne
un fameux tailleur	une fameu**se** silhouette	x → se	+ consonne [z]
un premier succès	une premi**ère** création	er → ère	[e] → [ɛr]
un style nouveau	une forme nouv**elle**	eau → elle	[o] → [ɛl]
un succès mondain	une plage mondain**e**	ain → aine	[ɛ̃] → [ɛn]

⚠ Certains adjectifs se placent avant le nom (voir « Précis grammatical »).

La première dame de la haute couture :
Gabrielle CHANEL

« Mademoiselle Chanel » a eu une enfance et une jeunesse difficiles. Orpheline très jeune, elle a passé de nombreuses années dans un couvent à Moulins, une petite ville du centre de la France. En fait, elle n'a connu Paris qu'à vingt-cinq ans, en 1908 ! C'est à partir de 1911 qu'elle a commencé à créer des chapeaux pour les vendre à des amies et c'est en 1912 qu'elle a ouvert sa première maison de couture à Deauville, la grande plage mondaine.

Mais la guerre de 1914 a vite arrêté ses activités et ce n'est qu'en 1919 qu'elle a pu enfin ouvrir une maison de couture à Paris, rue Cambon. Pendant vingt ans, jusqu'en 1939, elle a été une des célébrités du Tout-Paris, l'amie des artistes et des grands personnages de ce monde. C'est alors que « Coco » Chanel a créé un style nouveau pour les femmes, un style inspiré des vêtements d'homme, et a contribué par son exemple à l'émancipation des femmes.

Au début de la Seconde Guerre mondiale, elle est partie pour la Suisse et elle y est restée pendant quinze ans, de 1939 à 1954.

C'est à l'âge de soixante et onze ans qu'elle est revenue à Paris et qu'elle a réussi à imposer la fameuse silhouette, devenue classique : tailleur de tweed, longs colliers de fausses perles, chaînes dorées, souliers de deux couleurs, beige et noir. Ce style est resté celui de la simplicité dans le luxe et beaucoup de femmes veulent encore maintenant porter un « chanel ».

Grâce à son célèbre parfum, le « N° 5 », créé en 1921, et à ses tailleurs, Coco Chanel n'est pas vraiment morte en 1971. Elle est toujours la première dame de la haute couture.

LE PASSÉ COMPOSÉ
Auxiliaire « AVOIR »

J'	**ai**	
Tu	**as**	
Il/elle	**a**	
Nous	**avons**	**acheté** des vêtements.
Vous	**avez**	
Ils/elles	**ont**	

 Les auxiliaires « avoir » et « être » servent à conjuguer les temps composés.

LE PASSÉ COMPOSÉ
Auxiliaire « ÊTRE »

Je	**suis**	
Tu	**es**	**arrivé(e)**.
Il/elle	**est**	
Nous	**sommes**	
Vous	**êtes**	**arrivé(e)s**.
Ils/elles	**sont**	

L'EMPLOI DU PASSÉ COMPOSÉ

 Le passé composé est employé pour rapporter des (séries d') événements passés.

6 ▶ **Retrouvez sa biographie !**

Complétez le texte suivant avec les passés composés des verbes entre parenthèses.

Yves Saint Laurent (naître) en 1936 en Algérie. Il ne (venir) à Paris qu'en 1954. Très vite il (devenir) l'assistant de Christian Dior. Dior (mourir) en 1957 et Yves Saint Laurent (présenter) sa première collection l'année suivante. Elle (avoir) un succès immédiat.

5 ▶ **Quels participes passés ?**

Observez la terminaison des participes passés du texte sur Coco Chanel et classez les participes passés en deux catégories : avec l'auxiliaire « avoir », avec l'auxiliaire « être ».
Dans quel cas est-ce qu'il y a accord entre le sujet et le participe ?

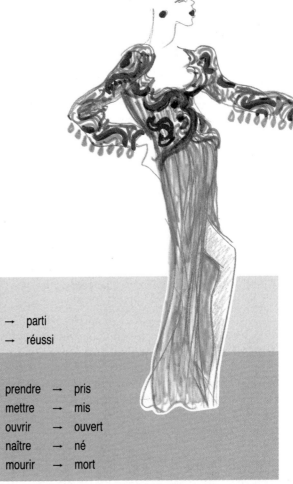

FORMATION DES PARTICIPES PASSÉS

1. Réguliers :

en « -é » :	lancer	→	lancé	**en « -i » :**	partir	→	parti
	créer	→	créé		réussir	→	réussi

2. Irréguliers :

être	→	été	voir	→	vu	prendre	→	pris
avoir	→	eu	tenir	→	tenu	mettre	→	mis
pouvoir	→	pu	venir	→	venu	ouvrir	→	ouvert
faire	→	fait	vendre	→	vendu	naître	→	né
dire	→	dit	devenir	→	devenu	mourir	→	mort

EXPRIMER UNE RESTRICTION → NE... QUE... = SEULEMENT

Mademoiselle Chanel **n'**est venue à Paris **qu'**à vingt-cinq ans.

C'est **seulement** à vingt-cinq ans qu'elle est venue à Paris.

Depuis 1961 Yves Saint Laurent **n'**a connu **que** des succès.

---

7 ▶ **Quelques dates clés !**

Écoutez la biographie d'Yves Saint Laurent.

Repérez et notez les événements suivants :
– la date de la création de sa maison de couture,
– la date de sa première collection,
– le nom et la date de son premier parfum,
– la date et le lieu de la première exposition rétrospective,
– le nom du lieu de la deuxième exposition à Paris.

En 1960, Yves Saint Laurent est parti faire son service militaire. Quand il est revenu de l'armée, il s'est installé rue de la Boétie pour fonder sa propre maison de couture. Depuis 1961 il n'a connu que des succès avec ses collections inspirées de Mondrian, du Pop Art, des ballets russes...
C'est en 1964 qu'il a lancé son premier parfum « Y ». « Opium » n'est venu que bien après. En 1983 le Metropolitan Museum de New York a organisé une exposition rétrospective de ses créations. Paris a suivi en 1986 avec une exposition au musée des Arts de la Mode. Depuis Yves Saint Laurent continue de créer...

Vérifiez vos réponses avec le texte.

---

8 ▶ **Tout ça est arrivé bien tard !**

Commencer à créer des chapeaux à 28 ans. → Elle n'a commencé à créer des chapeaux qu'à 28 ans.

1. Connaître Paris en 1908.
2. Ouvrir sa première maison de couture à 29 ans.
3. Ouvrir sa maison à Paris en 1919.
4. Revenir de Suisse en 1954.
5. Imposer ses tailleurs de tweed à 71 ans.

POUR METTRE EN VALEUR → C'EST... QUE...

C'est en 1919 **que** Coco Chanel a pu créer sa maison à Paris.

C'est à l'âge de 71 ans **qu'**elle est revenue à Paris.

9 ▶ **Ça vaut la peine qu'on les souligne !**

Mettez les groupes de mots soulignés en valeur.

1. Coco Chanel a passé son enfance <u>à Moulins</u>.
2. Elle a connu Paris <u>à 25 ans</u>.
3. Elle a créé des chapeaux <u>à partir de 1911</u>.
4. Elle a créé un style nouveau pour les femmes <u>après la guerre de 1914-1918</u>.
5. Elle est restée pendant 15 ans <u>en Suisse</u>.
6. Son célèbre parfum, le « N° 5 », est créé <u>en 1921</u>.

10 ▶ **Une interview imaginaire.**

Interviewez Coco Chanel ou Yves Saint Laurent pour un magazine.
Jouez la scène avec un(e) autre étudiant(e).

– Mademoiselle Chanel, quand avez-vous créé... ?

LA ROUE TOURNE

1 Qu'est-ce qu'on voit ?

Avant d'écouter, regardez la bande dessinée et essayez d'imaginer l'histoire.

2 Dans quel ordre ?

Écoutez le dialogue et mettez ces événements dans l'ordre.

1. On a parlé de Thierry et de Charlotte dans les côtes.
2. Les Delcour sont rentrés chez eux.
3. Émilie a demandé des nouvelles de Thierry.
4. Les randonneurs se sont quittés sur le quai de la gare.
5. Émilie a réagi au nom de Charlotte.
6. On a raconté des histoires de randonnées.
7. Émilie a demandé à ses parents des nouvelles du voyage.
8. Christian les a invités pour le dimanche suivant.

3 Qu'est-ce qui s'est passé ?

1. D'où les randonneurs sont-ils partis ?
2. Quel parcours ont-ils fait ?
3. Quel temps a-t-il fait ?
4. Où est-ce qu'Émilie a suivi un stage ?
5. Comment sont revenus les randonneurs ? En forme ?
6. Pourquoi est-ce que le randonneur n'a pas pu faire le tour de la Bretagne ?
7. Qui n'a tenu que trois jours dans les Alpes ? Pourquoi ?
8. Qui a pu suivre Thierry dans les côtes ?

4 Trouvez dans le dialogue :

– une invitation ;
– une expression de satisfaction ;
– une demande d'information ;
– un refus poli ;
– l'expression d'une vérité générale.

5 Qu'est-ce qu'ils ont pu faire (ou ne pas faire) ?

Terminez ces phrases.

1. Il a fait très chaud mais...
2. Ils sont partis en forme mais...
3. La chaleur c'est pénible mais...
4. Il a voulu faire le tour de la Bretagne mais...
5. Il est allé faire une randonnée dans les Alpes mais...
6. Thierry a bien roulé dans les côtes mais...

6 À votre avis ?

1. Pourquoi les Delcour sont-ils « arrivés sur les genoux » ?
2. Pourquoi Émilie a-t-elle interrogé ses parents sur la randonnée ? Qu'est-ce qu'elle veut savoir ?
3. Pourquoi Thierry n'est-il pas allé dîner chez les Delcour ?
4. Pourquoi Émilie a-t-elle assisté à la réunion du dimanche ?
5. Pourquoi Émilie a-t-elle demandé qui est Charlotte ?

7 À quoi pense-t-elle ?

Dites tout ce à quoi Émilie peut penser dans le huitième dessin.

IL N'A PAS VOULU VENIR!

À LA GARE D'AUSTERLITZ.

ALORS, C'EST D'ACCORD. ON SE RETROUVE TOUS CHEZ MOI DIMANCHE PROCHAIN? PAS TOI, CHARLOTTE, JE SAIS.

JE SUIS DÉSOLÉE. LA PROCHAINE FOIS...

CHEZ LES DELCOUR...

BONSOIR, ÇA VA? ÇA S'EST BIEN PASSÉ? VOUS N'ÊTES PAS TROP FATIGUÉS?

UN PEU. ON EST PAR-TIS EN FORME ET ON EST ARRIVÉS SUR LES GENOUX!

IL A FAIT BEAU?

IL A FAIT TRÈS CHAUD, MAIS ON A BIEN ROULÉ QUAND MÊME. ON A PU FAIRE TOUT LE CIRCUIT.

ET TOI, QU'EST-CE QUE TU AS FAIT?

BEN, J'AI TRAVAILLÉ. J'AI FINI MON STAGE CHEZ I.B.M. JE CROIS QUE ÇA A MARCHÉ.

TANT MIEUX. BON, ON MANGE ET ON VA AU LIT. DEMAIN, ON TRA-VAILLE!

ET THIERRY, ÇA VA?

9

OH, LUI TOUJOURS EN FOR-ME! IL N'EST PAS VENU DÎNER AVEC NOUS CE SOIR. IL N'A PAS VOULU. IL A PRÉFÉRÉ RENTRER CHEZ LUI.

DIMANCHE APRÈS-MIDI, MARYSE SERT LE CAFÉ.

ALORS, TOUT LE MONDE PREND DU CAFÉ?

NON, PAS MOI, JE TE REMERCIE.

...LA CHALEUR C'EST PÉNIBLE, C'EST VRAI, MAIS LA PLUIE C'EST PIRE! IL Y A TROIS ANS, J'AI VOULU FAIRE LE TOUR DE LA BRETAGNE. IMPOSSIBLE! ON A EU UN TEMPS ÉPOUVANTABLE, DE LA PLUIE TOUS LES JOURS.

OUI, MAIS LA BRETAGNE, C'EST PLAT. MOI, IL Y A QUELQUES ANNÉES, JE SUIS ALLÉ FAIRE UNE RANDON-NÉE DANS LES ALPES. JE N'AI PAS PU ALLER LOIN. JE N'AI TENU QUE TROIS JOURS!

OUI, LA MONTAGNE, IL FAUT Y ÊTRE HABITUÉ. REGARDE THIERRY, DANS LES CÔTES PERSONNE N'A PU LE SUIVRE.

CHARLOTTE? QUI C'EST?

PERSONNE, PERSONNE... TU OUBLIES CHARLOTTE.

8 **Associez les contraires.**

fatigué → en forme

1. Il a fait beau.
2. On est arrivés en forme.
3. On a eu de la pluie tous les jours.
4. J'ai fait tout le circuit.
5. Tout le monde l'a suivi.

LES VERBES « DE MOUVEMENT » PASSÉ COMPOSÉ AVEC « ÊTRE »

Elle n'est pas venu**e** dîner.
On est arrivé**s** sur les genoux.

 Si « On » = nous → le verbe est au singulier (**est**) mais le participe passé est au pluriel : arri-vé**s** / arrivé**es** (accord).

14 VERBES DE « MOUVEMENT »

aller (allé)	naître (né)
arriver (arrivé)	partir (parti)
descendre (descendu)	passer (passé)
devenir (devenu)	rester (resté)
entrer (entré)	sortir (sorti)
monter (monté)	tomber (tombé)
mourir (mort)	venir (venu)

... et leurs composés.

9 **Trouvez les questions.**

En randonnée. (Émilie) → Émilie est-elle allée en randonnée ?

1. En forme. (Les Delcour)
2. Non, il est resté chez lui. (Thierry)
3. Ils sont revenus très amis. (Charlotte et Thierry)
4. Ils sont arrivés à trois heures. (Les randonneurs)
5. Non, elle n'y est pas allée. (Charlotte)

10 **Émilie est-elle jalouse ?**

Complétez ce dialogue, puis jouez-le avec un(e) autre étudiant(e).

– Alors, tu (connaître) Charlotte où ?
– Eh bien ! au club. On (faire) du vélo ensemble.
– Qu'est-ce qui (se passer) pendant la randonnée ?
– Rien. Je (réparer) une roue avec elle et on (devenir) bons copains.
– Vous (ne pas sortir) ensemble ?
– Si, on (aller) un soir au cinéma.
– Pourquoi tu (ne pas venir dîner) l'autre soir ? Tu (rentrer) avec elle ?
– Non, je (aller) chez moi... Mais, dis donc, tu es jalouse !
– Moi ? Certainement pas !

Jeu de rôle.
Charlotte raconte.

Un(e) collègue demande à Charlotte quand ils sont partis, où ils sont allés, ce qu'ils ont vu et fait, quand ils sont revenus...

  Jeu de rôle.
Que s'est-il passé ?

Regardez les dessins. Imaginez que vous êtes le père ou la mère et racontez l'histoire à un ami.

Alors, ces vacances, ça s'est bien passé ?...

9

DES SONS ET DES LETTRES

■ **Les voyelles « centrales » :** [y], [ø], [œ]

	langue à l'avant		langue à l'arrière
de plus	[i]	[y]	[u]
en plus	[e]	[ø]	[o]
ouvertes	[ɛ]	[œ]	[ɔ]

lèvres tirées   lèvres arrondies

[y] = position de langue de [i] et position de lèvres de [u].

[ø] = position de langue de [e] et position de lèvres de [o].

[œ] = position de langue de [ɛ] et position de lèvres de [ɔ].

□ **Prononcez, puis écoutez. Articulez bien !**

1. Tu lis. – Tu as lu.

2. Donne-les. – Donne-le.

3. Tu appelles. – Tu as peur.

4. Vous. – Vous avez vu.

5. Donne l'eau. – Donne-le.

6. Alors. – À l'heure.

■ **Les semi-voyelles**

[j]	rien				
	premier	[w]	crois		
	Thierry		moi	[ɥ]	suis
			au revoir		lui
					pluie

□ **Prononcez :**

nuit / suivre / circuit / habitué

revoir / toi / moi / trois

bien travaillé / mieux / il y a la télévision

9

1 **Lisez le texte et écrivez le curriculum vitae** (C.V.) du Commandant Cousteau.

Nom : . . . .

Prénom(s) : . . . .

Âge : . . . .

Situation de famille : marié en 1937 – 2 enfants.

Adresses :

• Musée océanographique, avenue Saint-Martin, Monaco-Ville, Principauté de Monaco.

• Centre océanique Cousteau, Forum des Halles, 75001 Paris.

Études et diplômes : . . . .

Carrière : . . . .

Œuvres et travaux : . . . .

Distinctions : . . . .

2 **Mettez ces événements dans l'ordre** chronologique et donnez les dates.

1. Il a pris le commandement de *la Calypso*.
2. Il a obtenu un grand prix pour son film, *Le Monde du Silence*.
3. Il est entré à l'Académie française.
4. Il a inventé un scaphandre autonome.
5. Il a publié son premier livre.
6. Il est devenu directeur du Musée océanographique.

3 **Résumez la vie** du Commandant Cousteau en quelques lignes.

Il est né...   En 1956...

À vingt ans...   Depuis plus de 40 ans...

À trente-trois ans...   Pendant 50 ans...

En 1946...   Depuis quelques années...

4 **À quels paragraphes** du texte s'appliquent les titres suivants ?

1. Premières années.
2. Cinquante années de recherches.
3. Introduction.
4. Une carrière d'explorateur des mers.
5. Conclusion.
6. Œuvres (films et publications).

5 **Qu'est-ce que vous en pensez ?**

1. Quel rêve de jeunesse a-t-il réalisé ?
2. Quelle est la spécialité du Commandant Cousteau ?
3. Comment est-il devenu célèbre ?
4. Pourquoi est-il devenu membre de l'Académie française ?
5. Pourquoi sa vie a-t-elle été exemplaire ?

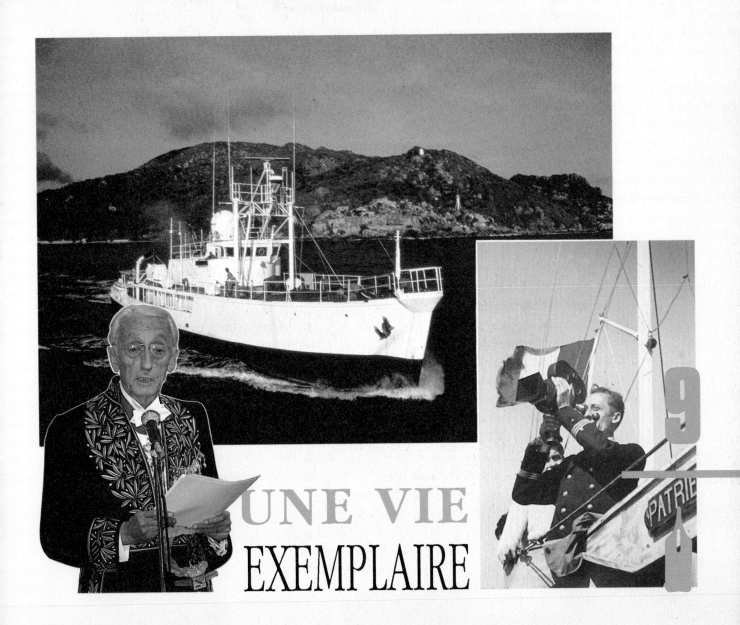

UNE VIE
EXEMPLAIRE

Qui n'a pas vu sur son écran de télévision apparaître le visage énergique et la longue silhouette du Commandant Cousteau ? Qui n'a pas suivi une de ses nombreuses explorations sous-marines ou lu ses récits sur les requins, les dauphins ou les baleines ? L'officier de marine Jacques-Yves Cousteau, nommé directeur du Musée océanographique de Monaco en 1957 et, en 1968, membre de l'Académie des Sciences des États-Unis, est depuis longtemps connu et populaire dans le monde entier.

Jacques-Yves Cousteau est né il y a plus de quatre-vingts ans près de Bordeaux, dans le sud-ouest de la France, mais c'est à Paris qu'il a fait ses études. Très jeune, à vingt ans, il a pu réaliser sa première ambition : il est devenu officier de marine.

Ensuite, sa carrière de marin l'a mené sur tous les océans, mais les profondeurs des mers l'ont toujours fasciné : en 1943, il invente un scaphandre autonome pour l'exploration sous-marine et c'est à partir de 1952 qu'il prend le commandement de *la Calypso*, un bateau spécialement équipé pour la recherche au fond des mers.

Depuis cette date, découvertes, livres et films ont marqué les étapes de sa carrière : de *Par 18 mètres de fond*, paru en 1946, à *Cousteau en Amazonie*, publié en 1985, et du *Monde du silence*, film de 1954 primé au Festival de Cannes en 1956, à la série télévisée *L'Équipe Cousteau en Amazonie* de 1984.

Pendant cinquante ans le commandant Cousteau a inspiré la recherche océanographique et collectionné les succès et les distinctions. En novembre 1988, il est devenu membre de l'Académie française.

Sa vie exemplaire a été une série d'aventures exceptionnelles, une leçon et un beau livre d'images pour la jeunesse. ■

Racontez-nous.

6 **Vous êtes devenu(e) célèbre !**

Pourquoi attendre d'être célèbre pour parler de votre vie aux autres ?
Choisissez l'âge de votre célébrité (40 ans, 50 ans...) et inventez votre curriculum vitae (C.V.) en répondant aux questions suivantes.

1. Quand êtes-vous né ? Où ?
2. Où avez-vous fait vos études ?
3. À quelle université êtes-vous allé(e) ?
4. Quels diplômes avez-vous obtenus ?
5. Quels pays avez-vous visités ?
6. Quelle carrière avez-vous choisie ?
7. Quels postes avez-vous occupés ?
8. Quels ont été les moments importants de votre carrière ?
9. Quels personnages célèbres avez-vous rencontrés ?
10. Quels événements ont marqué votre vie ?
11. Quels livres avez-vous écrits ? Quels films avez-vous réalisés ? Quel succès ont-ils eu ?...
12. Quelles distinctions avez-vous obtenues ? Etc.

Un auteur dédicace son livre.

7 **À partir de vos réponses à l'exercice précédent :**

1. Préparez votre C.V. Précisez les études, la carrière, les œuvres, les distinctions, etc.

2. Écrivez une biographie de 20 à 25 lignes destinée à présenter un de vos livres ou une de vos réalisations. Choisissez les informations intéressantes ˙pour vos lecteurs.

3. Dans une lettre à un de vos nouveaux amis français, vous racontez quelques événements de votre vie.

◀ *Après la remise des médailles.*

Un directeur d'entreprise.

Mémoires d'ordinateur

Toute l'équipe entoure l'enfant chéri : Victor. Philippe aussi est là, il est revenu d'une mission. Il s'intéresse beaucoup à Victor. Normal : c'est lui qui l'a programmé.

— Alors, Éric, vous avez réussi à remettre ses circuits en marche.

— Oui, mais il ne sait pas ce qui s'est passé. Certains circuits ont été déconnectés et les manipulations n'ont pas pu s'inscrire.

— Il a eu un « trou de mémoire »...

— Bravo, Sylvie, très amusant !

— Et le « fou », il ne s'est pas manifesté ? On ne sait pas où il veut cet argent et comment ?

— Ne soyez pas pressé. Il ne va pas tarder à donner de ses nouvelles.

— On sait au moins une chose maintenant. C'est qu'il s'agit d'un sabotage et que l'auteur est dans nos murs.

— Pas forcément. Un super informaticien peut déconnecter des circuits à distance.

Éric regarde Philippe et Sylvie, puis pose calmement son regard sur Gérard.

— En tout cas, il veut détruire un « projet meurtrier ».

— C'est pour brouiller les pistes. Pourquoi exige-t-il 10 millions de francs si c'est un protecteur de l'humanité ?

— Je ne sais pas. Mais, après enquête, j'ai une piste. Michel Laforêt. Il a travaillé chez vous pendant cinq ans. Du 15 avril 1983 au 25 mai 1988.

— On ne l'a pas mis à la porte. C'est lui qui nous a quitté.

— Oui, pour aller vivre en province ?

— Je crois, oui.

— En fait, il n'a jamais quitté Paris. Il est membre d'une association écologiste depuis plus de dix ans... Vous me suivez ?

Non. Ils ne suivent plus. Tout est allé trop vite. Ils vivent un roman d'espionnage mais ils ne sont pas James Bond. Gérard reprend la parole.

— Vous pensez à une complicité possible à l'intérieur de nos équipes ?

— Tout est possible. En tout cas une chose est sûre, les logiciels des sociétés concurrentes n'ont pas encore le virus.

— Hum... Où travaille ce Laforêt actuellement ?

— Dans une société d'informatique très à la pointe des recherches.... en virus informatiques.

9

1   Vous êtes allé(e) au marché.

Qu'est-ce que vous avez acheté ?

Combien est-ce que vous en mangez / buvez tous les jours ? Répondez chaque fois par une phrase avec le pronom « en ».

2   Qu'est-ce que vous dites dans ces situations ?

1. Vous offrez votre aide à un(e) ami(e).
2. Vous avez vu un beau film. Vous exprimez votre appréciation.
3. On vous dit : « Nous allons faire 100 kilomètres en vélo aujourd'hui. » Vous exprimez votre doute.
4. Un de vos amis oublie de prendre son imperméable.

3   Rencontre avec Isabelle Adjani.

Vous allez interviewer Isabelle Adjani pour un magazine de votre pays. Préparez dix questions sur elle, sur ses films et sur ses projets.

4   Que s'est-il passé ?

Racontez la semaine de vacances des Delcour : préparation, randonnée, retour à Paris.

5   Écrivez la biographie d'un personnage célèbre (réel ou inventé) dans votre pays.

DES MOTS ET DES FORMES

---

6   Écrivez cinq mots après chacun des mots suivants :

1. viande : . . . . .
2. céréales : . . . . .
3. petit déjeuner : . . . . .
4. randonnée : . . . . .

5. presse : . . . . .
6. cinéma : . . . . .
7. mode : . . . . .
8. mer : . . . . .

7   Complétez.

1. un fameux tailleur   – une . . . . silhouette
2. son premier chapeau   – ses . . . . créations
3. des souliers noirs   – des chaussures . . . .
4. un parfum nouveau   – une idée . . . .
5. un grand magasin   – une . . . . maison
6. le mois prochain   – l'année . . . .

8   Quels sont les infinitifs ?

Trouvez les infinitifs correspondant à ces participes passés.

1. vendu
2. porté
3. ouvert

4. sortie
5. arrivées
6. finie

7. partis
8. voulu
9. pris

9   Mettez les verbes entre parenthèses au passé composé.

Leur randonnée (durer) une semaine. Ils (partir) un vendredi soir et ils (revenir) le dimanche de la semaine suivante. Les femmes du groupe (rouler) comme des championnes. Elles (arriver) les premières aux étapes. Le groupe (explorer) une région pittoresque.

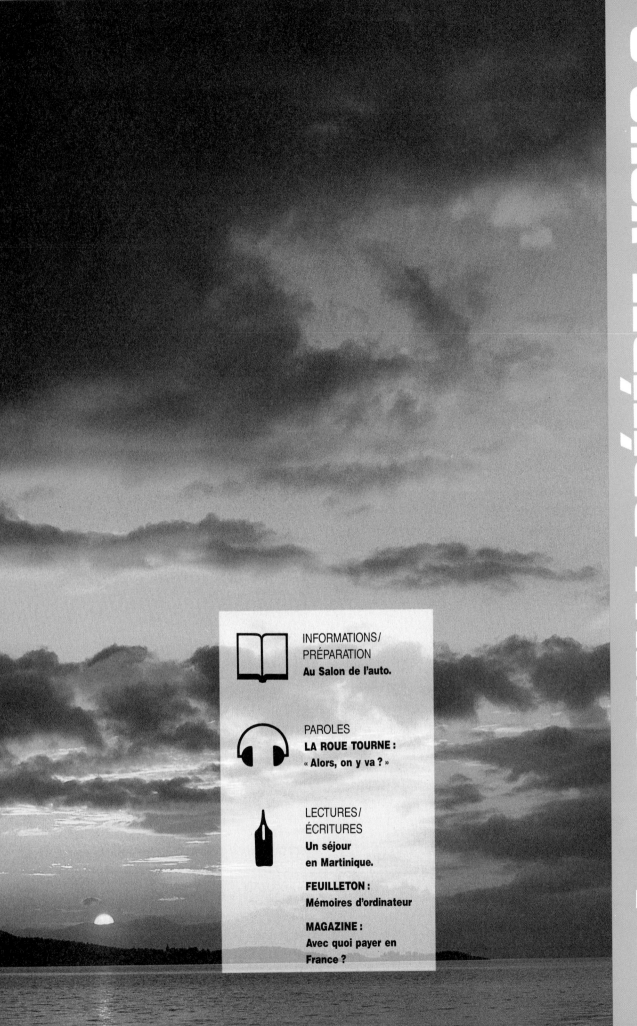

LAQUELLE PRÉFÉREZ-VOUS ?

DOSSIER

10

Au Salon de l'auto.

 1 **C'est une bonne voiture ?**

Écoutez et lisez la description de la Citroën BX.
Sur quels aspects insiste-t-on ?

1. Le confort.
2. La tenue de route.
3. La consommation.
4. Le prix.
5. Quels sont les points positifs (les avantages) ?
6. Quels sont les points négatifs (les inconvénients) ?

 2 **Qu'en pensez-vous ?**

Écoutez et lisez la description de la Ford Escort.
Quels sont ses avantages et ses inconvénients ?

EXPRIMER :	
L'ACCORD – **LE DÉSACCORD**	
• après une déclaration affirmative	• après une déclaration négative
Moi aussi. → Pas moi.	Moi non plus. → Moi si.

 3 **Quelles voitures est-ce que vous aimez ?**

Comparez vos goûts avec ceux d'un(e) autre étudiant(e).

– *J'aime les grandes voitures.*
– *Pas moi. Je préfère les voitures économiques.*

 LES ADJECTIFS AVANT LE NOM

Certains adjectifs se placent souvent avant le nom.
Ils expriment le jugement, l'appréciation.

Ce sont : grand / petit, jeune / vieux,
bon / mauvais, beau, joli, vrai / faux...

un grand homme (célèbre)
un homme grand (taille)

un jeune homme
un homme jeune (âge).

 4 **Donnez vos raisons.**

Demandez à votre partenaire pourquoi il/elle aime ou n'aime pas les voitures de la page suivante.

– *Tu aimes la BX ?*
– *Oui, parce qu'elle est confortable et qu'elle a une bonne tenue de route.*
– *Pas moi, parce qu'elle est trop chère.*

Peugeot 205.

 5 **Quel genre de voiture est-ce ?**

Écoutez et complétez le texte de présentation de la Peugeot à l'aide du tableau ci-contre.

La Peugeot 205 Rallye est une petite voiture de sport à deux portes. Sa . . . . . maximum est de . . . . . kilomètres à l'heure. C'est une voiture . . . . . : elle ne consomme que 9,6 . . . . . d'essence aux 100 kilomètres sur . . . . . à 120 km/h. Elle est très nerveuse et elle a une bonne . . . . . de route. Son prix, ... F, est raisonnable pour une voiture de cette . . . . . .

Au Salon de l'AUTO

Citroën BX.

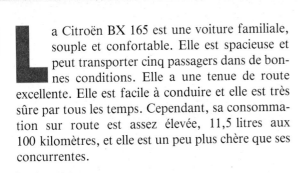

Ford Escort.

10

La Citroën BX 165 est une voiture familiale, souple et confortable. Elle est spacieuse et peut transporter cinq passagers dans de bonnes conditions. Elle a une tenue de route excellente. Elle est facile à conduire et elle est très sûre par tous les temps. Cependant, sa consommation sur route est assez élevée, 11,5 litres aux 100 kilomètres, et elle est un peu plus chère que ses concurrentes.

La Ford Escort est une bonne voiture familiale à quatre portes, confortable et résistante. Elle n'est pas très économique, 11,5 litres aux 100 kilomètres à 120 kilomètres à l'heure. Elle est un peu moins rapide que ses concurrentes, 167 kilomètres à l'heure. Son prix n'est pas trop élevé.

Marques	Nombre de portes	Puissance en cv	Vitesse maximum	Longueur	Consommation aux 100 km	Prix (en francs)
Citroën BX 165	4	7 cv	170	4,25 m	11,5 l	83 600
Fiat 1600 DGT	5	8 cv	175	4 m	10,8 l	70 300
Ford Escort 16,6 Ghia	4	6 cv	167	4 m	11,5 l	75 000
Peugeot 205 Rallye	2	7 cv	190	3,70 m	9,6 l	71 400

COMPARAISON AVEC LES ADJECTIFS

+	**plus**	rapide
=	**aussi**	puissante
–	**moins**	confortable

} **que...**

La 205 est { plus économique / aussi bonne / moins longue } que la Fiat 1600.

 Bon(ne) → **meilleur(e)**.
Elle a une bonne tenue de route.
Elle a une meilleure tenue de route que...

6 ▶ Le savez-vous ?

1. Quelle voiture est plus rapide que la Ford Escort ?
2. Laquelle est plus longue que la Fiat 1600 ?
3. Laquelle est moins chère que la Fiat 1600 ?
4. Laquelle est plus économique que la Fiat 1600 ?
5. Laquelle est plus petite que la Ford Escort ?
6. Laquelle est plus chère que la Ford Escort ?

7 ▶ Cette voiture est-elle meilleure que l'autre ?

Comparez ces voitures à l'aide du tableau de la page 135.

1. La BX et la Fiat 1600.
2. La Fiat 1600 et la Ford Escort.
3. La Ford Escort et la Peugeot 205
4. La Peugeot 205 et la Fiat 1600.

8 ▶ Devinez !

Pensez à une voiture populaire dans votre pays. Votre partenaire pose des questions pour essayer de deviner de quelle voiture il s'agit.

– *Quelle est sa vitesse maximum ? / Est-ce qu'elle est plus rapide que... ?*

9 ▶ Vous voulez l'acheter ?

Essayez de vendre une voiture à un(e) autre étudiant(e). Il/Elle vous pose des questions sur le prix, le confort, la sécurité, la consommation... et vous, vous comparez votre voiture à d'autres.

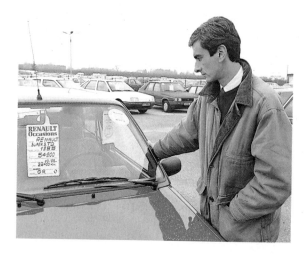

– *J'ai une voiture à vendre.*
– *Ah, oui ! Comment est-elle ?*

10 ▶ De quelle voiture s'agit-il ?

Écoutez et aidez-vous du tableau de la page précédente.

ADJECTIFS INTERROGATIFS	PRONOMS INTERROGATIFS	PRONOMS DÉMONSTRATIFS
Quel moyen de transport ?	**Lequel ?**	**Celui-là.**
Quelle voiture ?	**Laquelle ?**	**Celle-là.**
Quels acteurs ?	**Lesquels ?**	**Ceux-là.**
Quelles chanteuses ?	**Lesquelles ?**	**Celles-là.**

 Comment préférez-vous voyager ?

Comparez ces moyens de transport. Dites ce que vous préférez et pourquoi. Pensez à la sécurité, au confort, à la facilité de conduite, à la vitesse, au prix...

1. Train / voiture
2. Voiture / bus
3. Train / avion
4. Avion / bateau
5. Voiture / bicyclette
6. Bus / métro

Bus / bicyclette → Je préfère la bicyclette parce que c'est plus agréable...

 Lesquels veulent-ils ?

Complétez les phrases.

1. Cette voiture est rapide et ..... est confortable. ..... est-ce que tu préfères ?
2. Ce film est français et ..... est américain. ..... est-ce que tu veux voir ?
3. Ces chaussures ont des talons hauts et ..... des talons plats. ..... est-ce que tu veux mettre ?
4. Ces croissants sont au beurre et ..... ne le sont pas. ..... est-ce que tu prends ?
5. Cette robe est courte et ..... est longue. ..... est-ce que tu mets ?

 Laquelle préférez-vous ?

Comparez ces compagnies aériennes : la TAC (Transports Aériens Continentaux), la TAI (Trans Air International) et l'AET (Air Europe Transcontinental).

L'AET a un meilleur service et de meilleurs menus que les autres compagnies, mais ses prix sont plus élevés.

Compagnie	Service	Menus	Espace	Nombre d'aéroports	Prix
TAC	+ +	+ + +	+	+	+ +
TAI	+	+	+ +	+ + +	+ + +
AET	+ + +	+ + +	+ +	+ +	+

LA ROUE TOURNE

1 Rétablissez la vérité.

Écoutez le dialogue et corrigez ces affirmations si nécessaire.

1. L'entreprise n'a pas pu obtenir le contrat.
2. Il y a moins d'un an de travaux.
3. Les ingénieurs peuvent emmener leur famille.
4. Les salaires sont moins élevés en province.
5. Les travaux ne vont pas commencer avant un an.
6. Maryse adore vivre en province.
7. Les hôpitaux d'Albertville ont trop d'infirmières.
8. Émilie préfère travailler en province.

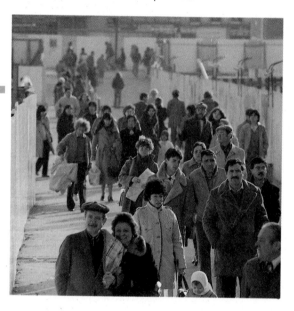

2 Qu'est-ce que vous en pensez ?

Comparez la vie à Paris et à Albertville. Pensez aux avantages et aux inconvénients.

— Vie : chère / agréable / facile / intéressante.
— Salaires : élevés / bas.
— Logement : cher / gratuit / confortable.
— Travail : facile / difficile à trouver.
— Magasins : nombreux / beaux.
— Sport / nature / facile d'aller à Paris...
— Loin des amis / pas beaucoup de cinémas...

3 De quoi s'agit-il ?

1. Que propose le directeur à ses ingénieurs ?
2. Quels arguments donne-t-il ?
3. Quels arguments contraires Christian Delcour donne-t-il ?
4. Comment Maryse réagit-elle à la proposition ? Quels arguments donne-t-elle ?
5. Comment Émilie réagit-elle ? Quels sont ses arguments ?

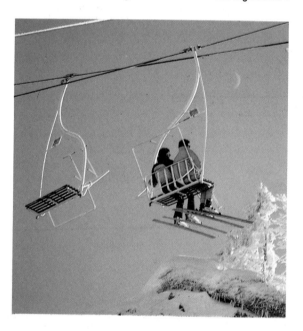

4 Qu'est-ce qu'ils expriment ?

Trouvez dans le dialogue :
– une demande d'information,
– une objection,
– un refus,
– un argument pour justifier un refus.

5 Le directeur nous propose de partir...

Christian Delcour rentre chez lui et parle de la proposition de son directeur à Maryse et à Émilie.
Elles lui posent des questions. (Pourquoi Albertville ? Pour y faire quoi ? Combien de temps ? Qui part ?...)

ALORS, ON Y VA ?

COMME VOUS LE SAVEZ, NOTRE ENTREPRISE VIENT DE SIGNER UN CONTRAT POUR LA CONSTRUCTION D'UN SUPER COMPLEXE SPORTIF À ALBERTVILLE. PLUS GRAND QU'À GRENOBLE ! TOUT EST À CONSTRUIRE : HÔTELS, PARKINGS, ROUTES ET STADES BIEN SÛR. ÇA FAIT PLUS DE QUATRE ANS DE TRAVAUX...

C'EST POURQUOI IL NOUS FAUT DES INGÉNIEURS LÀ-BAS... VOUS ?

MOI, JE SUIS D'ACCORD. J'AIME BOUGER. J'AI CHOISI CE MÉTIER UN PEU POUR ÇA.

MOI AUSSI, ÇA ME TENTE, MAIS JE VEUX EN SAVOIR PLUS. ON PEUT EMMENER NOS FAMILLES ? QUELS SONT LES AVANTAGES ?

POUR LES FAMILLES, PAS DE PROBLÈME. LES AVANTAGES ? MEILLEURS SALAIRES, LOGEMENT GRATUIT ET VIE MOINS CHÈRE...

VOUS, DELCOUR, VOUS N'ÊTES JAMAIS PARTI ?

NON, MA FEMME NE VEUT PAS QUITTER SON TRAVAIL. ET PUIS, IL Y A MA FILLE.

DITES DONC, ELLE A PLUS DE DIX-HUIT ANS VOTRE FILLE ! PAS TROP LONGTEMPS. ON COMMENCE LES TRAVAUX DANS DEUX MOIS.

RÉFLÉCHISSEZ. MAIS

TU SAIS BIEN QUE MOI, LA VIE EN PROVINCE, JE N'AIME PAS ÇA.

MOI NON PLUS, JE N'AIME PAS ÇA...

MAIS IL NE FAUT PAS EXAGÉRER. ALBERTVILLE, CE N'EST PAS LE BOUT DU MONDE ! ON PEUT VENIR À PARIS DE TEMPS EN TEMPS ET LA VIE EN PROVINCE A BEAUCOUP D'AVANTAGES : LE SPORT, LA NATURE ... ET PUIS IL Y A PLUS D'ARGENT. DEUX MILLE FRANCS DE PLUS PAR MOIS, C'EST À CONSIDÉRER ! POUR MOI, IL Y A PLUS D'AVANTAGES QUE D'INCONVÉNIENTS.

ET SI JE NE TROUVE PAS DE TRAVAIL ?

IL Y A DES HÔPITAUX À ALBERTVILLE. ILS ONT BESOIN DE BONNES INFIRMIÈRES.

DE TOUTE FAÇON, MOI, C'EST SÛR, JE N'Y VAIS PAS.

NON, MOI, JE SUIS COMME MAMAN, LA PROVINCE, C'EST L'ANGOISSE...

COMMENT ÇA, TU N'Y VAS PAS ?

ET PUIS, JE SUIS MAJEURE, NON ? ICI, J'AI UN BON TRAVAIL. J'AI MIS ASSEZ LONGTEMPS À LE TROUVER ! JE NE VEUX PAS ME RETROUVER AU CHÔMAGE.

ÉMILIE N'A PAS TORT, POUR UNE SECRÉTAIRE, C'EST MOINS FACILE EN PROVINCE QU'À PARIS.

ALORS, QU'EST-CE QU'ON DÉCIDE ?

PASSÉ RÉCENT
(Venir de + infinitif)

L'entreprise **vient de** signer un contrat.

6 **Qu'est-ce qu'ils viennent de faire ?**

1. Le directeur/ faire une proposition à ses ingénieurs.
2. Les ingénieurs / accepter la proposition.
3. Le second ingénieur / demander quels sont les avantages.
4. Vous (Christian) / en parler à votre femme.
5. Nous (les Delcour) / en discuter.
7. Émilie / refuser d'y aller.

8 **Oui, mais...**

Trouvez des arguments contraires.

– *On peut faire plus de sport.*
– *Oui, mais il y a moins de cinémas.*

1. La vie est moins chère. (agréable)
2. On gagne plus d'argent. (occasions de le dépenser)
3. Les logements sont moins chers. (confortables)
4. Le travail est plus agréable. (difficile à trouver)
5. Il y a plus de magasins. (beaux)
6. Les distances sont plus courtes. (moyens de transport)

9 **Pour ou contre ?**

Cherchez des arguments pour défendre chaque fois un des choix suivants.

1. Travailler beaucoup et gagner de l'argent ou travailler peu et avoir moins d'argent et plus de temps libre ?
2. Acheter une voiture neuve ou acheter une voiture d'occasion ?
3. Voyager ou rester à la maison ?

LA COMPARAISON (quantité) AVEC LES NOMS

Il y a	plus	d'avantages	que	d'inconvénients.
	autant	d'inconvénients	que	dans les autres villes.
	moins	de cinémas	qu'	à Paris.

7 **Les avantages et les inconvénients ?**

Sport → On peut faire plus de sport à Albertville qu'à Paris.

1. Amis.
2. Travail.
3. Argent.
4. Temps libre.
5. Magasins.
6. Hôpitaux.

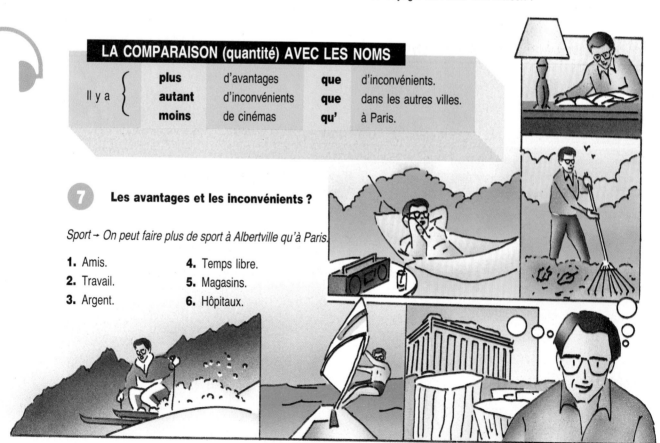

10 Jeu de rôle.
Quelle décision prendre ?

Vous avez la possibilité de partir étudier le français en France ou au Canada. Vous hésitez. Vous ne savez pas lequel des deux pays choisir. Vous en discutez avec un(e) ami(e). Vous échangez des arguments pour et contre chacun des deux pays.

11 Jeu de rôle.
Lequel choisir ?

Un ami français vient dans votre ville. Comparez des hôtels ou des restaurants de votre ville et dites-lui lesquels vous préférez et pourquoi (prix, confort, situation...).

DES SONS ET DES LETTRES

■ **La prononciation des voyelles moyennes : « E, EU, O »**

Règle :

En syllabe ouverte (terminée par un son de voyelle), la voyelle moyenne est fermée.
assez, peu, bureau.   [e, ø, o]

En syllabe fermée (terminée par un son de consonne), la voyelle moyenne est ouverte.
chef, peur, accord.   [ɛ, œ, ɔ]

	lèvres tirées langue en avant	lèvres arrondies langue en avant	lèvres arrondies langue en arrière
voyelles fermées	[e] (trouver)	[ø] (deux)	[o] (travaux)
voyelles ouvertes	[ɛ] (chère)	[œ] (meilleur)	[ɔ] (bonne)

☐ Trouvez des exemples de ces voyelles dans le dialogue.

■ **Articulation montante-descendante**

Pour les familles, pas de problèmes.

☐ Prononcez :
Et puis, il y a ma fille.
On ouvre les chantiers dans deux mois.

Il y a plus d'avantages que d'inconvénients.
De toute façon, je n'y vais pas.
Paris ou Albertville ?

1 **Un séjour en Martinique.**

Regardez la page 143.

1. Où est situé l'hôtel Le Caraïbe sur la carte ?
Est-ce qu'il est loin de Fort-de-France ? À combien de kilomètres ? Au nord ? Au sud ?

2. Quelle mer est-ce qu'on voit de l'hôtel ?

LA MARTINIQUE

Montagne Pelée▲

Presqu'île de la Caravelle

St-Pierre●

●La Trinité

St-Joseph●

●Le François

MER CARAÏBES

FORT-DE-FRANCE●

●Le Vauclin

Ange d'Arlets●

●Rivière Pilote

Le Diamant●

●Ste Anne

10

2 **Comment faire ?**

Où se trouvent :
– les renseignements sur l'hôtel et le séjour ?
– les informations générales ?
– les commentaires publicitaires ?
– les suggestions pour prolonger le séjour ?
– les informations sur les prix ?

3 **Quels sont les avantages et les inconvénients ?**

1. Où sont indiqués les avantages ? Quels sont-ils ?

2. Où sont indiqués les inconvénients ? Quels sont-ils ?

3. Est-ce qu'on dit tout ? Pouvez-vous penser à d'autres inconvénients (climat - suppléments à payer - saison de l'année...) ?

4 **Qu'est-ce qu'on vous propose ?**

1. Quelle est la catégorie de l'hôtel ?
2. Vous voulez écrire. Où se trouve l'adresse de l'hôtel ?
3. Combien y a-t-il de chambres dans l'hôtel ?
4. Quel genre de cuisine pouvez-vous trouver ?
5. Quel confort y a-t-il dans les chambres ?
6. Où peut-on se baigner ?
7. Quels sports peut-on faire gratuitement ?
8. Comment peut-on aller à Fort-de-France ?
9. Si vous partez de Paris combien payez-vous pour 9 jours ?
10. Si vous partez d'une ville de province, est-ce que vous payez plus cher ou moins cher ?

5 **Pouvez-vous trouver la solution à ces problèmes ?**

1. Vous voulez prolonger votre séjour d'une semaine. Que faut-il faire ?
2. Vous voulez payer moins cher. À quel moment de l'année faut-il partir ? Pourquoi ?
3. Vous habitez la province. Avez-vous les mêmes avantages que les Parisiens ?
4. À qui devez-vous vous adresser pour les renseignements et les inscriptions ?
5. Sur place vous voulez manger de la cuisine créole authentique. Où allez-vous ?

Sélection-voyage de la semaine
SÉJOUR EN MARTINIQUE

dans la BAIE DE FORT-DE-FRANCE

Vous aimez l'exotisme, le soleil en hiver, les belles plages de sable, les palmiers, les pays lointains ?
Alors pourquoi n'allez-vous pas aux Antilles ?

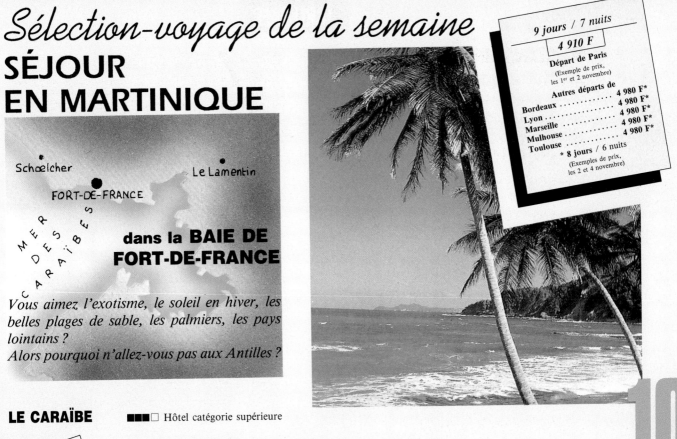

9 jours / 7 nuits
4 910 F

Départ de Paris
(Exemple de prix,
les 1er et 2 novembre)

Autres départs de

Bordeaux	4 980 F*
Lyon	4 980 F*
Marseille	4 980 F*
Mulhouse	4 980 F*
Toulouse	4 980 F*

* **8 jours / 6 nuits**
(Exemples de prix,
les 2 et 4 novembre)

10

LE CARAÏBE ■■■□ Hôtel catégorie supérieure

5 180 F de Paris

(les 1er et 2 novembre)

Portrait
• Adresse : 97200 Fort-de-France.
• Tél. : (19.596) 61.49.69.
• À 1,5 km de Fort-de-France.
• Sur une colline au bord de la mer, entouré d'un grand jardin exotique près du bourg de Schoelcher.
• Belle terrasse sur la mer ou les jardins, ambiance cosmopolite.
• 200 chambres, 3 étages.
• Belle plage de sable fin.
• Piscine.
• Bar, snack-bar à la plage.

• Boutiques, salon de coiffure et d'esthétique.
• Casino (roulette, baccara, black jack, craps).

Votre chambre
• Avec terrasse donnant sur la mer des Caraïbes.
• Air conditionné, radio, télévision couleur, téléphone direct, salle de bains complète.

La table
• Petit déjeuner-buffet.
• Cuisine française et créole.
• 1 restaurant en terrasse et 1 au bord de la piscine.

Gratuit
• Chaises longues, matelas, serviettes.

• Planche à voile, initiation à la plongée avec bouteille, plongée libre, 6 courts de tennis.

Payant
• Ski nautique, plongée, sortie en mer.
• Tennis la nuit.

Idéalement situé pour les plaisirs de la mer et de la plage. À 10 mn de Fort-de-France.

Nous avons aimé

• Le panorama splendide sur la baie de Fort-de-France.
• La proximité de Fort-de-France avec ses marchés, ses rues coloniales, son musée, ses restaurants et sa place de la Savane.
• L'animation du petit village de l'Anse Mitan, à quelques minutes à pied de la Pointe du Bout.
• La marina de la Pointe du Bout. Des vedettes assurent la navette avec Fort-de-France.

Informations-vérité

• Nourriture internationale dans les hôtels ; seuls les restaurants extérieurs servent de la cuisine créole authentique. Poissons excellents. Langouste très chère et parfois rare.
• Artisanat charmant, pas toujours d'origine locale.
• En général, la vie est plus chère qu'en France.

Suggestions

Prolongez votre séjour à la Martinique par une semaine ou quelques nuits dans une autre île des Caraïbes.

Des prix exceptionnels

du 1er novembre au 14 décembre et à certaines dates en juin et septembre.

Décrivez vos vacances en Martinique.

Vous avez lu la publicité de la page précédente et vous êtes allé(e) passer une semaine à l'hôtel Le Caraïbe. Et maintenant, imaginez !

10

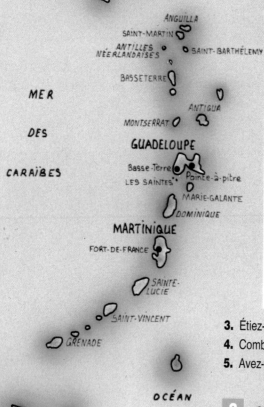

OCÉAN ATLANTIQUE

PORTO RICO

ÎLES VIERGES

ANGUILLA

SAINT-MARTIN

ANTILLES NÉERLANDAISES

SAINT-BARTHÉLEMY

BASSETERRE

MER

DES

CARAÏBES

ANTIGUA

MONTSERRAT

GUADELOUPE

Basse-Terre

Pointe-à-pitre

LES SAINTES

MARIE-GALANTE

DOMINIQUE

MARTINIQUE

FORT-DE-FRANCE

SAINTE-LUCIE

SAINT-VINCENT

GRENADE

OCÉAN

ATLANTIQUE

TRINITÉ-ET-TOBAGO

---

7   **Qu'est-ce que vous avez fait ?**

1. Comment vous a-t-on reçu(e) ?
2. Comment sont les chambres ? La nourriture ?
3. Est-ce que vous avez nagé ? Dans la piscine de l'hôtel ou dans la mer ?
4. Quels sports avez-vous pratiqués ? Avec qui ?
5. Qu'est-ce que vous avez fait d'autre ? (Promenades, lectures, visite de l'île...)
6. Est-ce qu'il a fait beau ?

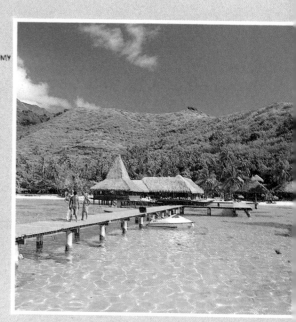

3. Étiez-vous seul(e) ou accompagné(e) ?
4. Combien de temps êtes-vous resté(e) ?
5. Avez-vous envisagé la possibilité de louer une voiture ?

8   **Qu'est-ce que vous en avez pensé ?**

1. Qu'est-ce que vous avez aimé ?
2. Qu'est-ce que vous n'avez pas apprécié ?
3. Est-ce que vous avez envie d'y retourner en vacances ? Pourquoi ?
4. Quels conseils pouvez-vous donner aux autres ?

6   **Qu'est-ce que vous avez choisi ?**

1. Comment avez-vous eu l'idée de partir en Martinique ?
2. À quel moment de l'année êtes-vous parti(e) ? Pourquoi ?

9   **Écrivez une lettre** à un(e) de vos ami(e)s pour décrire vos vacances en Martinique.

FEUILLETON

Mémoires d'ordinateur

« Le fou » s'est encore manifesté. Toujours par l'intermédiaire de Victor. La demande de rançon est la même, mais il a avancé les délais. La société doit verser l'argent à une organisation écologiste (vous avez deviné laquelle) dans un délai de quinze jours. Éric, Gérard et Sylvie discutent de la stratégie à suivre.

— Je ne suis pas d'accord, Éric. Nous avons assez de preuves, maintenant, pour arrêter ce Laforêt.

— Ce n'est pas mon opinion. Et je veux lui parler d'abord.

— Nous avons plus de chance de réussir si nous le prenons par surprise.

— Éric, je suis d'accord avec Gérard. Nous avons déjà perdu assez de temps et d'argent.

— J'ai autant intérêt que vous à découvrir l'auteur de ce chantage.

— Oui, mais vous êtes moins pressé !

— De toute façon, c'est trop tard.

— Comment ça trop tard ?

— J'ai pris rendez-vous avec Michel Laforêt. Enfin... pas moi, le journaliste Paul Duval. Son association organise un meeting demain. Je dois le voir à la fin de la réunion... Excusez-moi, Sylvie, j'ai besoin de parler quelques instants avec Gérard.

— Je vous laisse. De toute façon j'ai du travail.

Un peu vexée, Sylvie s'en va. Les deux hommes se retrouvent seuls. Gérard est tendu. Cette initiative d'Éric ne lui plaît pas.

— Allez-y, Éric, je vous écoute.

— Ce sous-marin, qu'est-ce que c'est exactement ?

— Je vous l'ai déjà dit. C'est...

— Gérard, l'affaire est extrêmement sérieuse. Je suis là pour vous aider. Alors on joue cartes sur table. D'accord ?

Il n'a pas une position facile, Gérard. Il doit régler tous ces problèmes et en même temps garder le secret. Pourtant...

— Bon. D'accord. C'est plus un laboratoire de recherche qu'un sous-marin. Une centaine de chercheurs et de techniciens doivent pouvoir y séjourner pendant un temps assez long. Il est spécialement équipé pour la recherche pétrolière. Il est capable de sonder, de forer, et même de mettre en place des installations de pompage.

— Si je comprends bien, un engin de ce genre peut créer pas mal de destruction au fond des mers ?...

— Peut-être, mais nous avons besoin de ce pétrole.

— Une dernière question. Est-ce que Victor sait de quoi il s'agit ?

— Victor ? Pourquoi cette question ?

10

Avec quoi payer en France ?

L'ARGENT

10

Les heures d'ouverture
des banques :
du lundi au vendredi
de 9 heures à 16 heures 30.

IL FAUT QUE ÇA CHANGE !

DOSSIER

11

Quels sont vos vœux pour le XXIᵉ siècle ?

 À quoi se rapportent ces titres de journaux ?

Faites correspondre chacun des titres à un souhait de la page 149.

> UNE NOUVELLE SOURCE D'ÉNERGIE
>
> LE CANCER, C'EST FINI !
>
> UNE NOUVELLE CATASTROPHE NUCLÉAIRE ?
>
> 8 milliards d'hommes sur la terre !

 Quel est l'infinitif ?

Reliez la forme du verbe conjugué (subjonctif) à l'infinitif correspondant.

1. ait	**a)** partir
2. puissent	**b)** construire
3. parte	**c)** avoir
4. mette	**d)** s'unir
5. se fasse	**e)** pouvoir
6. s'unisse	**f)** mettre
7. construise	**g)** se faire
8. aillent	**h)** détruire
9. dise	**i)** mourir
10. soient	**j)** savoir
11. sache	**k)** comprendre
12. comprennent	**l)** dire
13. détruise	**m)** aller
14. meure	**n)** être

Dans quel type de phrase est-ce qu'on emploie ces formes de verbe ? Qu'est-ce que toutes ces phrases ont en commun ?

 À quoi ça correspond ?

Classez les vœux dans les catégories suivantes :

1. Éducation   **3.** Politique   **5.** Sécurité

2. Nature   **4.** Santé   **6.** Social

 Quels vœux vous suggèrent ces dessins ?

 Êtes-vous réaliste ?

Quels souhaits vous semblent irréalisables ? Pourquoi ?

Il est impossible qu'il n'y ait plus de catastrophes naturelles parce que l'homme ne peut pas contrôler la nature.

Que souhaitez-vous pour votre pays ?

Quels souhaits conviennent plus spécialement à votre pays ? Pourquoi ?

Notre grande enquête-concours

CLASSEZ LES VINGT SOUHAITS CI-DESSOUS PAR ORDRE D'IMPORTANCE.

 Je souhaite :

1. *qu'il n'y ait plus de catastrophes naturelles ;*
2. *que tout le monde ait du travail, qu'il n'y ait plus de chômage ;*
3. *que tous les jeunes puissent aller à l'université ;*
4. *que tout le monde parte en vacances deux fois par an ;*
5. *qu'on mette fin aux inégalités entre les hommes ;*
6. *qu'on découvre d'autres sources d'énergie que le nucléaire ;*
7. *qu'on sache guérir des maladies comme le cancer et le sida ;*
8. *que l'Europe s'unisse et se fasse ;*
9. *que tous les pays s'entendent pour qu'il n'y ait plus de guerres ;*
10. *que tous les enfants aillent à l'école ;*
11. *qu'on ne dise plus de mal des autres ;*
12. *qu'on élimine la faim dans le monde pour que personne ne meure plus de faim ;*
13. *qu'on puisse contrôler l'énergie nucléaire ;*
14. *qu'on ne construise plus d'usines atomiques ;*
15. *qu'on ne détruise plus les plantes et les espèces animales ;*
16. *que la sélection se fasse sur le mérite et non sur l'argent ;*
17. *que les parents et les enfants se comprennent mieux ;*
18. *que les gens soient plus tolérants ;*
19. *qu'on mette fin au terrorisme ;*
20. *qu'on limite le nombre des naissances.*

AJOUTEZ CINQ SOUHAITS PERSONNELS

Pour gagner un des nombreux prix, il faut :
a) que votre liste soit semblable à la liste type (la liste type est la moyenne statistique de toutes les réponses reçues) ;

b) que vos cinq souhaits soient différents des vingt souhaits ci-dessus et différents également des souhaits personnels exprimés par les autres participants au concours.

Envoyez vos réponses avant le 30 juin
au secrétariat de la rédaction, 58, rue Jean-Bleuzen, 92170 Vanves,
avec la mention :

« CONCOURS DES SOUHAITS D'ESPACES 1 ».

LE SUBJONCTIF

LA FORMATION

• **Le radical** de la 3e personne du pluriel du présent
Ils **limit**ent
Ils **construis**ent
Ils **prenn**ent
Ils **boiv**ent

• **Les terminaisons**
(que) je limit-**e**
(que) tu construis-**es**
(qu') il prenn-**e**
(qu') ils boiv-**ent**

• **Le radical** de la 1re personne du pluriel du présent
Nous **pren**ons
Nous **buv**ons

• **Les terminaisons**
(que) nous pren-**ions**
(que) vous buv-**iez**

LES IRRÉGULARITÉS

Être (que) je sois, tu sois, il soit,
nous soyons, vous soyez, ils soient

Avoir (que) j'aie, tu aies, il ait,
nous ayons, vous ayez, ils aient

Faire (que) je fasse...

Savoir (que) je sache...

Aller (que) j'aille, tu ailles, il aille,
nous allions, vous alliez, ils aillent

Pouvoir (que) je puisse...

Vouloir (que) je veuille... nous voulions...
ils veuillent

11

7 ▶ **Affirmez vos opinions.**

Complétez les phrases suivantes avec les verbes conjugués au subjonctif.

1. Nous voulons que tous les jeunes (avoir) du travail.
2. Nous souhaitons que tout le monde (partir) en vacances.
3. Nous ne voulons pas que les bombes atomiques (détruire) le monde.
4. Nous faisons le vœu que tous les hommes (être) égaux.
5. Nous ne croyons pas qu'on (pouvoir) éliminer la faim.
6. Il faut que les hommes ne se (faire) plus la guerre.
7. Il est souhaitable qu'on (guérir) un jour le cancer.
8. Il faut que tous les peuples (s'entendre) un jour.

8 ▶ **À vous !**

Donnez la première personne du singulier et du pluriel du subjonctif des verbes suivants :

– apprendre   – venir   – suivre
– dire   – croire   – voir
– sortir   – finir   – savoir

LES EMPLOIS DU SUBJONCTIF ET DE L'INDICATIF

Le subjonctif s'emploie :

1. après les verbes exprimant :

– **le souhait, la volonté, la nécessité,**

Je souhaite
Je veux } qu'il vienne.
Il faut

– **le doute,**

Je ne { crois / pense } pas qu'il vienne.

2. après « **pour que** »...

Pour qu'on ne détruise plus les forêts,
il faut que les gens comprennent le danger.

L'indicatif exprime :

– **ce qui existe, le réel, les faits,**

Il vient.

– **la certitude,**

Je { crois / pense } qu'il va venir.

C'est certain ? Vous le croyez ?

– *Je crois qu'on peut donner du travail à tous.*
– *Moi, je ne crois pas qu'on puisse (donner du travail à tous).*

1. Je pense que tous les gens sont tolérants.
2. Je suis certain que le nucléaire est sans danger.
3. Je crois que la sélection se fait sur le mérite.
4. Je pense que les parents et les enfants se comprennent bien.
5. Je crois qu'on sait contrôler l'énergie nucléaire.
6. Je suis sûr que tous les jeunes sont heureux.

Dans quel but ?

Exprimez le but avec « pour que » + subjonctif.

Les peuples (s'entendre) ... n'y (avoir) plus de guerres → Je souhaite que les peuples s'entendent pour qu'il n'y ait plus de guerres.

1. Y (avoir) beaucoup de travail ... n'y (avoir) plus de chômage.
2. Tous les gens (être) égaux ... n'y (avoir) plus d'injustice.
3. (Guérir) le cancer ... ne plus (mourir) de cette maladie.
4. L'Europe (s'unir) ... (être) plus forte.
5. (Contrôler) l'énergie nucléaire ... ne pas (détruire) la Terre.
6. (Limiter) les naissances ... y (avoir) moins de monde sur la Terre.

Que souhaitez-vous ?

Formulez des souhaits sur les thèmes suivants :

1. les accidents de la route, **4.** les vacances,
2. les maladies, **5.** l'égalité des sexes,
3. l'éducation pour tous, **6.** la liberté d'expression.

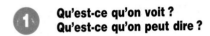

LA ROUE TOURNE

1 Qu'est-ce qu'on voit ?
Qu'est-ce qu'on peut dire ?

Avant d'écouter, regardez les dessins et commentez-les.

2 Rétablissez la vérité.

Écoutez la conversation et corrigez les affirmations suivantes si nécessaire.

1. Les parents d'Émilie veulent qu'elle reste à Paris.
2. Ils veulent partir seuls.
3. Ils ne croient pas qu'elle puisse se débrouiller seule.
4. Thierry a l'impression qu'elle veut le quitter.
5. Émilie veut que Thierry aille avec elle à Albertville.
6. Thierry ne sait plus ce qu'il faut qu'il fasse.
7. Émilie veut réfléchir.
8. Thierry propose à Émilie d'aller au cinéma.

3 Qu'est-ce qu'ils veulent ?
Qu'est-ce qu'ils souhaitent ?

1. Les parents d'Émilie.   **2.** Thierry.   **3.** Émilie.

4 Qu'est-ce qu'ils disent ?

5 Qu'est-ce qu'ils expriment ?

1. Émilie est en colère. Elle est irritée contre ses parents et contre Thierry. Trouvez dans le dialogue les phrases ou les expressions qui expriment son irritation.

2. Thierry essaie de calmer Émilie. Quelles phrases de Thierry le montrent ?

6 Elle est indépendante !

Que dit Émilie pour montrer qu'elle est indépendante ?

Relevez les phrases dans le dialogue.
Trouvez d'autres arguments.

7 Qu'en pensez-vous ?

1. Pourquoi est-ce que ses parents lui compliquent la vie ?
2. Pourquoi est-ce que Thierry lui parle comme ses parents ?
3. Pourquoi est-ce qu'Émilie ne sait plus ce qu'il faut qu'elle fasse ?
4. Pourquoi est-ce que Thierry refuse d'aller au cinéma avec elle ?
5. Pourquoi Émilie dit-elle : « J'ai compris. » ?
6. D'après vous, quelle décision Émilie va-t-elle prendre ?

8 Jeu de rôle.
Elle lui dit tout !

Émilie raconte à sa mère sa conversation avec Thierry.
Sa mère lui pose des questions.

– *Tu sais, j'ai vu Thierry au café hier soir.*
– *Vous avez parlé de notre départ ?...*

INFINITIF	ou	SUBJONCTIF ?

Ses parents veulent partir.

Émilie a envie d'aller au cinéma.

UN seul sujet

• **Avoir peur de...**

Ils ont peur de ne pas pouvoir vivre sans elle.

Ils veulent qu'elle parte avec eux.

Thierry a envie qu'elle parte.

DEUX sujets différents

• **Avoir peur que...**

Ils ont peur qu'elle ne puisse pas vivre seule.

11

9 **Que veut Émilie ?**

Prendre un thé. → *Elle veut prendre un thé.*
Thierry / l'aider. → *Elle veut que Thierry l'aide.*

1. Se débrouiller seule.

2. Ses parents / partir seuls.

3. Avoir un appartement.

4. Thierry / la conseiller.

5. Se changer les idées.

6. Ses parents / ne pas lui compliquer la vie.

7. Gagner sa vie.

8. Ses amis / s'occuper d'elle.

9. Se marier avec Thierry.

10. Thierry / ne pas la quitter.

10 **Qu'est-ce qu'il faut qu'elle fasse ?**

1. Pour rester à Paris.

2. Pour vivre à Albertville.

11 **De quoi ont-ils peur ?**

1. Les parents d'Émilie. **2.** Émilie. **3.** Thierry.

12 **Conseillez Émilie.**

Émilie vous parle de ses problèmes : ses parents, Thierry, la décision à prendre... Vous lui dites ce qu'il faut qu'elle fasse. Jouez la scène avec un(e) autre étudiant(e).

– *Qu'est-ce qui se passe, Émilie ? Tu as des problèmes ?*
– *Oui, j'ai beaucoup de problèmes...*

13 Jeu de rôle.
Ce n'est pas si grave !

Un(e) de vos camarades est en colère parce que son ami(e) n'est pas venu(e) à un rendez-vous et ne lui a pas téléphoné. Il/elle dit qu'il/elle ne veut plus le/la voir. Vous essayez de le/la raisonner et de le/la calmer.

14 Jeu de rôle.
Il faut que tu réfléchisses !

Un(e) de vos ami(e)s a pris une décision : changer de travail, vivre seul(e), partir à l'étranger. Vous pensez que sa décision n'est pas bonne, qu'il faut qu'il/elle réfléchisse. Donnez des arguments...

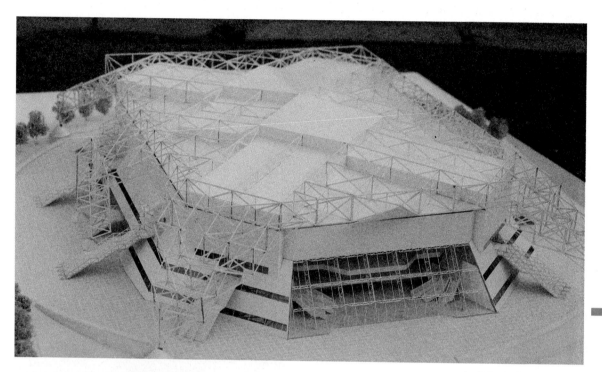

La Halle de Glace, Albertville.

11

DES SONS ET DES LETTRES

■ Les groupes de consonnes

On a souvent deux consonnes écrites, et prononcées, à la suite :

> je **pr**ends, le **tr**avail, ça com**pl**ique, elle se dé**br**ouille, c'est e**xc**ellent...

Quand le « e » caduc n'est pas prononcé, on entend beaucoup de groupes nouveaux :

[dm]   *mad(e)moiselle*
[ʃs]   *Mais j(e) suis majeure*
[kt]   *qu(e) tu les comprennes*
[np]   *que je n(e) puisse*
[ʃp]   *que j(e) parte, etc.*

☐ Écoutez et écrivez ces groupes.

☐ Cherchez d'autres exemples de groupes de consonnes dans les textes. Écrivez-les et prononcez-les.

■ Intonation

L'intonation donne le sens.

1. On impose une idée définitive, sans discussion possible :

D'accord. J'ai compris. Salut.

2. On propose, on suggère une idée, une explication :

Ils sont inquiets pour toi... C'est bien normal...

1 **Avant de lire, regardez la page 157.**

1. Que rappelle l'illustration ?

2. Qu'indiquent le titre et la dernière ligne du texte ?

3. Lisez le texte rapidement. Quels mots reviennent souvent ?

2 **Choisissez une phrase pour résumer** chacun des trois paragraphes.

a) Ce que notre association a l'intention de faire.

b) La Terre est en danger.

c) Il faut en prendre conscience pour la sauver.

3 **Cherchez le verbe** correspondant à chacun des noms suivants dans le texte du manifeste.

1. La destruction.
2. La pollution.
3. Une invention.
4. La nourriture.
5. L'épuisement.

6. La vie.
7. La mort.
8. Une information.
9. Un choix.
10. Le stockage.

4 **Regroupez des mots** du texte autour de ces deux extrêmes.

1. Mourir.   **2.** Vivre.

5 **Quels sont les modes** (infinitif, indicatif ou subjonctif) **utilisés ?**

1. Le premier paragraphe décrit la situation actuelle, la réalité. À quel mode et à quel temps sont les verbes ?

2. Le deuxième paragraphe indique les buts à atteindre et ce qu'il est nécessaire de faire. À quel mode sont les verbes ?

3. Le troisième paragraphe exprime la volonté de l'association. À quel mode est le verbe principal ? Les autres verbes ?

6 **Que faire pour sauver la Terre ?**

1. Quelles sont les causes de danger ? En voyez-vous d'autres ?

2. Que peuvent et doivent faire les gens ?

3. Que veut faire l'association ?

4. Que pensez-vous de ces moyens d'action ?

7 **Comment réagissez-vous ?**

1. Les dangers sont-ils réels d'après vous ? Pourquoi ?

2. Est-ce que les gens ont conscience de ces dangers dans votre pays ? Qu'est-ce qui leur en a fait prendre conscience ?

3. Est-ce qu'il existe des associations comme « Terre vivante » ? Qu'est-ce qu'elles font ?

Pour que la Terre ne meure pas !

Nous reproduisons ici le manifeste de l'association « Terre vivante ».

LES RESSOURCES DE LA TERRE S'ÉPUISENT. L'atmosphère perd son ozone. Les gens brûlent les forêts et les détruisent avec les gaz de leurs voitures.

Les industriels polluent la terre, l'air et l'eau avec leurs produits toxiques.

Les militaires stockent les bombes atomiques.

Les savants inventent sans cesse de nouveaux moyens de destruction.

NOTRE PLANÈTE TERRE EST EN DANGER MORTEL. Le danger devient plus grand de jour en jour !

Pour que la Terre puisse nourrir nos enfants, pour que son air soit respirable, pour que les arbres et les plantes ne meurent pas, pour que cesse la pollution des usines, pour que les bombes atomiques ne détruisent pas notre planète, pour que les savants n'inventent que des moyens de mieux vivre, il faut que vous vous informiez ! **IL EST NÉCESSAIRE QUE VOUS PRENIEZ CONSCIENCE DU DANGER !** Il est indispensable que vous choisissiez des dirigeants responsables !

C'est pourquoi nous voulons rappeler à tous que Tchernobyl n'est pas un cas isolé, créer un grand mouvement d'opinion international, faire pression sur les dirigeants du monde entier pour qu'ils prennent, enfin, les mesures indispensables,

MAINTENANT ou JAMAIS !

NOUS VOULONS QUE LA TERRE VIVE !

Écrivez-nous pour nous donner votre soutien ou, mieux, devenez membre actif de notre mouvement.

Écrivez pour mettre les choses au point.

Voici une façon de schématiser le texte du manifeste de « Terre vivante ».

Premier paragraphe : Situation actuelle.

Deuxième paragraphe : But à atteindre.

Troisième paragraphe : Mesures à prendre.

8 **On peut toujours améliorer une situation.**

En ce moment, vous étudiez le français. Est-ce que tout se passe selon vos désirs et les désirs du groupe ? Analysez votre situation et proposez des améliorations et des moyens d'action.
Discutez d'abord en groupes.

9 **Décrivez les problèmes de la situation actuelle.**

1. Combien y a-t-il d'étudiants dans le groupe ?
2. Combien d'heures de cours avez-vous ?
3. Combien de temps avez-vous pour étudier chez vous ?
4. Quel livre utilisez-vous ? Y a-t-il assez d'explications ? etc.

10 **Qu'est-ce qu'on peut améliorer ?**

1. Est-ce qu'il est important qu'il y ait plus ou moins d'étudiants dans le groupe ?
2. Est-ce qu'il est nécessaire que vous ayez plus ou moins d'heures de cours ?
3. Est-ce que vous souhaitez qu'on vous donne plus ou moins de travail ?
4. Est-ce que vous souhaitez avoir plus ou moins d'explications ?
5. Est-ce que vous souhaitez qu'on traduise des textes, qu'on fasse plus de grammaire... ?

11 **Qu'est-ce que le groupe veut faire pour améliorer la situation ?**

1. Discuter des problèmes ?
2. Parler au professeur ?
3. Négocier le programme ?
4. Arrêter les cours ?
5. Écrire un manifeste ? etc.

Pour que la Terre ne meure pas !

Nous reproduisons ici le manifeste de l'association « Terre vivante ».

LES RESSOURCES DE LA TERRE S'ÉPUISENT. L'atmosphère perd son ozone. Les gens brûlent les forêts et les détruisent avec les gaz de leurs voitures.
Les industriels polluent la terre, l'air et l'eau avec leurs produits toxiques.
Les militaires stockent les bombes atomiques.
Les savants inventent sans cesse de nouveaux moyens de destruction.
NOTRE PLANÈTE TERRE EST EN DANGER MORTEL. Le danger devient plus grand de jour en jour !

Pour que la Terre puisse nourrir nos enfants, pour que son air soit respirable, pour que les arbres et les plantes ne meurent pas, pour que cesse la pollution des usines, pour que les bombes atomiques ne détruisent pas notre planète, pour que les savants n'inventent que des moyens de mieux vivre, il faut que vous vous informiez !
IL EST NÉCESSAIRE QUE VOUS PRENIEZ CONSCIENCE DU DANGER !
Il est indispensable que vous choisissiez des dirigeants responsables !

C'est pourquoi nous voulons rappeler à tous que Tchernobyl n'est pas un cas isolé, créer un grand mouvement d'opinion international, faire pression sur les dirigeants du monde entier pour qu'ils prennent, enfin, les mesures indispensables,

MAINTENANT ou JAMAIS !

NOUS VOULONS QUE LA TERRE VIVE !

Écrivez-nous pour nous donner votre soutien ou, mieux, devenez membre actif de notre mouvement.

12 **Écrivez votre texte.**

13 **Dans chaque groupe comparez vos textes,** combinez-les et essayez de produire un texte unique, puis comparez les textes des différents groupes.

Mémoires d'ordinateur

On entend un tonnerre d'applaudissements au moment où Éric arrive dans la salle du meeting. Il regarde autour de lui. Il y a beaucoup de jeunes. Ils portent des banderoles : « Non au nucléaire », « Protégez nos enfants », « Pour que la Terre vive ! ».

« Il faut que ça change », crie un homme sur le podium.
— Qui est-ce ? demande Éric à son voisin.
— C'est Michel Laforêt. Il est super !
« Il n'a rien d'un fou », pense Éric…

« … certains disent que nous avons peur du progrès, peur de la science, peur de la technique. Non, nous n'avons pas peur du progrès ! Mais nous avons peur que les hommes ne sachent plus accepter leurs limites, nous avons peur, qu'au nom de fausses valeurs, ils détruisent la seule vraie valeur qui soit : la nature. »

Nouveau tonnerre d'applaudissements. Éric regarde sa montre.
Il se penche vers son voisin.
— C'est bientôt fini ?
— Dans cinq minutes. Pourquoi, ça ne vous plaît pas ?
— Si, si. C'est très intéressant.

Une demi-heure plus tard, Éric Legrand, alias Paul Duval, et Michel Laforêt se retrouvent dans un café.
— C'est très gentil de vous intéresser à moi, mais je doute que mon « parcours », comme vous dites, puisse intéresser vos lecteurs.
— Au contraire. Un homme à la pointe de la science en informatique et, en même temps, leader d'une organisation écologiste, ce n'est pas banal.
— L'informatique n'est pas un risque pour l'équilibre de la planète.
— Directement, peut-être pas. Mais toutes les recherches dépendent de l'informatique et certaines d'entre elles présentent de gros risques.
— J'en suis conscient. Et mon rôle de scientifique est de combattre tout ce qui peut nuire à la société.
— Combattre ? Quelles armes employez-vous pour combattre ?
— Rassurez-vous, je suis un pacifiste. Je travaille actuellement dans une société spécialisée dans la recherche anti-virus en informatique. Savez-vous pourquoi ? Parce que je déteste toute forme de terrorisme. Et c'en est une.
— Pourquoi vous défendre, monsieur Laforêt ? Vous vous sentez coupable ?

Le Parc national des Cévennes : grange et châtaigniers.

Les rhododendrons.

Lac de Valompierre dans les Alpes.

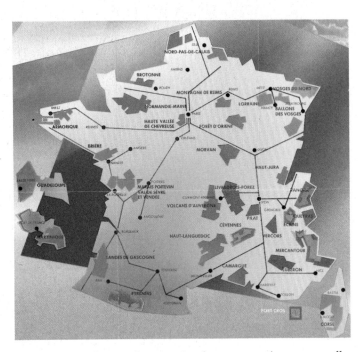

Port-Cros.

Pour que vive la nature...

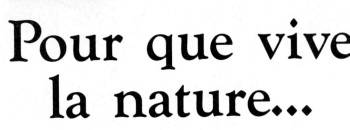

La France possède actuellement plus de quarante réserves naturelles. Grâce à elles, des espèces menacées de disparition ont pu survivre.

Le promeneur attentif peut apercevoir des ours dans le Parc national des Pyrénées occidentales, des chamois dans le Parc de la Vanoise et des aigles royaux dans le Parc du Mercantour. Et, s'il n'a pas la chance de voir un de ces animaux, il peut toujours admirer des paysages d'une beauté exceptionnelle couverts d'une flore aussi belle que rare.

Bouquetins des Alpes dans le Parc national de la Vanoise.

ÇA SE PASSAIT QUAND ?

DOSSIER

12

INFORMATIONS/
PRÉPARATION
C'était le printemps !

PAROLES
LA ROUE TOURNE :
« La roue a tourné. »

LECTURES/
ÉCRITURES

La construction de
l'Europe.

FEUILLETON :
Mémoires d'ordinateur

FAITES LE POINT.

C'était le printemps !

CRÉER OU MOURIR

 De quoi s'agit-il ?

Regardez les photographies.

1. Qu'est-ce qu'on voit sur les photos ?
2. Est-ce qu'il s'agit d'événements récents ?
3. Où ces événements se sont-ils déroulés ?
4. Qu'est-ce qui s'est passé à Paris en mai 1968 ?

VIVRE C'EST RÉINVENTER LA VIE

sous les pavés la plage...

 Écoutez le récit de Caroline Sauton.

Prenez des notes pour situer les personnages, les événements et les circonstances de son récit.

1. Qui ?   **3.** Quand ?   **5.** Pourquoi ?
2. Quoi ?   **4.** Où ?   **6.** Comment ?

12

 Quel est le temps des verbes ?

Il y a dans ce récit un certain nombre de formes verbales nouvelles pour vous. Faites-en la liste.
Pouvez-vous reconstituer les formes de la conjugaison de « être » et de « vouloir » à l'imparfait ?

a) J'étais, tu...   *b)* Je voulais...

 Qu'est-ce qui s'est passé ?

1. Faites la liste des actions rapportées dans le récit.

On a frappé à la porte. Loïc a crié...

2. Quelles informations supplémentaires donnent les verbes à l'imparfait ? Citez les exemples fournis par le texte.

a) Expression de l'heure au passé.
b) Description des lieux, de l'ambiance.
c) État d'esprit des participants.

 Qu'en pensez-vous ?

1. Combien d'heures ce récit couvre-t-il ?
2. Par qui la « révolution » de 1968 a-t-elle été menée ?
3. Pourquoi les étudiants manifestaient-ils ?
4. En quoi cette journée du 10 mai a-t-elle été déterminante pour la suite des événements ?

IL EST INTERDIT D'INTERDIRE

C'était le printemps !

L'IMAGINATION AU POUVOIR

Il était 6 heures de l'après-midi, le vendredi 10 mai 1968, quand on a frappé à ma porte. C'était mon ami Loïc, étudiant à la Sorbonne, comme moi. « Dépêche-toi », m'a-t-il crié dès que j'ai ouvert la porte. « Il y a déjà plus de 10 000 personnes place Denfert-Rochereau ! » Je n'ai pas eu le temps de lui répondre. Il était déjà en bas de l'escalier.

Dix mille personnes ! Il exagérait sans doute ! Quelques minutes plus tard, j'étais dans la rue. J'habitais porte d'Orléans, à quelques centaines de mètres de la place Denfert-Rochereau. Quand j'ai vu cette foule, j'ai eu le souffle coupé. C'est vrai qu'ils étaient des milliers ! Il faisait un temps superbe et il y avait une ambiance de fête. Vers 6 heures et demie d'autres groupes sont arrivés. Nous sommes restés là environ une heure à attendre les consignes.

À 7 heures et demie, le cortège s'est formé et on a commencé à descendre le boulevard Arago. Nous voulions passer devant la prison de la Santé. Des étudiants y étaient enfermés depuis le 3 mai. Les CRS★ nous y attendaient et nous avons dû faire demi-tour. Mais la police nous bloquait et ne nous laissait qu'une seule issue, le boulevard Saint-Michel. C'est là que nous nous sommes dirigés.

Nous étions tous pleins d'espoir. Nous nous sentions très forts tous ensemble. Nous étions certains que les choses allaient changer. Moi, j'avais l'impression que nous faisions l'Histoire et, quand on nous a dit qu'il fallait occuper le Quartier Latin, je me suis vraiment prise pour Gavroche★★ !

Il était 9 h 15 quand Loïc et moi, et des centaines d'autres, nous sommes arrivés rue Soufflot. Les CRS occupaient la place du Panthéon et nous empêchaient de passer. C'est alors que des étudiants ont commencé à arracher des pavés, à renverser des voitures et à construire la première barricade rue Le Goff… C'est là que j'ai pris peur et que je me suis sauvée. Je manifestais pour que la Sorbonne rouvre ses portes et que les choses changent, mais mon courage s'arrêtait là. Je ne voulais pas me retrouver en prison ou à l'hôpital !

Ce n'est que le lendemain, par la radio, que j'ai appris la suite des événements : « Violentes bagarres entre policiers et étudiants jusqu'à 5 h 30 du matin, 367 blessés, 460 étudiants arrêtés, 188 voitures détruites »…

★ CRS : Compagnies républicaines de sécurité ; police anti-émeute.
★★ Gavroche : jeune garçon mort sur les barricades pendant l'émeute révolutionnaire de 1832, un des héros du grand roman de Victor Hugo, « Les Misérables ».

L'IMPARFAIT

• Le radical	• Les terminaisons
de la 1re personne du pluriel du présent	
Nous **av**-ons	J' av**ais**
voul-ons	Tu voul**ais**
all-ons	Il/Elle all**ait**
fais-ons	Nous fais**ions**
chang-e-ons	Vous chang**iez**
sauv-ons	Ils/Elles se sauv**aient**

 Une seule exception :
Vous êtes → J'étais, tu étais...

6 ▶ **Quelle était la situation ?**

1. Combien y avait-il d'étudiants place Denfert-Rochereau ?
2. Qu'est-ce qu'ils voulaient faire ?
3. Où était la police ?
4. Pourquoi les étudiants se sentaient-ils forts ?
5. Quelles étaient les consignes données aux étudiants ?
6. Qui occupait la place du Panthéon ?

7 **Circonstances ou événements ?**

Complétez les phrases avec les verbes suivants :

venir	aller	attendre
être	se mettre (en marche)	obliger
repartir	se sentir	bloquer
arracher	renverser	construire
rentrer	faire face	

1. À 6 heures, Loïc ..... chercher son amie.
2. Ils ..... jusqu'à la place Denfert-Rochereau.
3. Des milliers de jeunes .....
4. Le temps ..... très beau.
5. À 7 heures et demie un grand cortège ......
6. Mais la police ..... les étudiants à faire demi-tour.
7. Ils ..... par le boulevard Saint-Michel.
8. Ils ..... tous unis et pleins d'espoir.
9. Au Panthéon les CRS ..... les issues.
10. Alors les étudiants ..... des pavés et ..... des voitures. Ils ..... des barricades.
11. Loïc et son amie ..... chez eux ainsi que beaucoup d'autres.
12. Mais de très nombreux étudiants ..... à la police pendant toute la nuit.

EMPLOI DE L'IMPARFAIT ET DU PASSÉ COMPOSÉ

On utilise :
– *l'imparfait* pour décrire un état ou une situation du passé, des circonstances passées.
   Nous manifestions.   Les CRS nous attendaient.

– *le passé composé* pour décrire des (séries d') événements passés.
   Le cortège s'est formé. (à 7 h 30)   On est arrivés rue Soufflot. (à 9 h 15)

Trouvez la question.

Il y avait 10 000 personnes. → *Combien y avait-il de personnes ?*

1. (Elle habitait) porte d'Orléans.
2. Un temps superbe.
3. Nous voulions passer devant les portes de la Santé.
4. Ils nous bloquaient.
5. L'impression de faire l'Histoire.
6. Les CRS.
7. Pour que les choses changent.
8. Parce qu'elle ne voulait pas se retrouver en prison.

LES VERBES PRONOMINAUX

Nous nous sommes dirigés vers le boulevard Saint-Michel.   Je me suis prise pour Gavroche.

⚠ Avec l'auxiliaire « être », il y a accord du sujet et du participe passé si le pronom complément a fonction d'objet direct :

    Ils se sont enfermés dans le bâtiment. (enfermer quelqu'un)

mais :

    Ils se sont lancé des pavés. (lancer des pavés à quelqu'un)

12

 Mettez au passé composé et faites l'accord si nécessaire.

1. Caroline et Loïc (se dépêcher).
2. Le cortège (se former).
3. Les étudiants (se sentir) tous unis.
4. Beaucoup (se prendre) pour des Gavroches ce jour-là.
5. Étudiants et CRS (se parler).
6. La foule (se diriger) vers la Sorbonne.
7. Des étudiantes (se sauver).
8. Étudiants et CRS (s'opposer).
9. Les bagarres ne (s'arrêter) qu'à 5 h 30 du matin.
10. Beaucoup (se retrouver) à l'hôpital.

 Voici l'événement. Quelle en était la cause ?

Loïc est allé chercher son amie → *parce qu'il y avait une grande manifestation d'étudiants.*

1. Caroline a eu le souffle coupé...
2. Le cortège n'a pas pu passer devant la Santé...

3. Les étudiants se sont engagés dans le boulevard Saint-Michel...
4. Ils ont construit des barricades...
5. Caroline s'est sauvée...
6. Il y a eu beaucoup de blessés...

 Gardez l'essentiel !

Résumez le récit de Caroline en quelques phrases.

1. Éliminez ce qui n'est pas essentiel dans les paragraphes. Ne conservez que l'idée centrale.
2. Conservez les heures pour marquer la succession des événements.
3. Récrivez les phrases si nécessaire.
4. Reliez les phrases conservées en un seul paragraphe.

LA ROUE TOURNE

1   **Imaginez.**

Regardez la bande dessinée et essayez de deviner :
– le sujet des deux conversations ;
– la façon de présenter les faits d'Émilie et de Thierry ;
– comment se termine l'histoire.

2   **Dans quelles circonstances ?**

Donnez l'événement et la circonstance.

Arriver en retard / Thierry déjà là. → *Émilie est arrivée en retard et Thierry était déjà là.*

1. Se donner rendez-vous / Ne pas en avoir envie.
2. Discuter / Connaître déjà la décision.
3. Consoler / Pas vraiment triste.
4. Y aller / Faire plaisir.
5. Être triste / Se mettre à pleurer.
6. Train à huit heures / Oublier de téléphoner.

3   **Que raconte Émilie ?**

1. Où Thierry et elle avaient-ils rendez-vous ?
2. Qu'est-ce qu'elle dit pour montrer qu'elle n'avait pas très envie de le voir ?
3. Quelle raison a-t-elle donnée à Thierry pour son départ ?
4. Comment Thierry a-t-il pris la chose ?
5. Qu'est-ce que Maryse trouve bizarre ? Pourquoi ?
6. De quoi Maryse avait-elle peur ?

4   **Que raconte Thierry ?**

1. Pourquoi Émilie est-elle partie avec ses parents ?
2. Lequel des deux a voulu revoir l'autre ?
3. Pourquoi Thierry est-il allé au rendez-vous ?
4. Comment Émilie a-t-elle réagi ?
5. Qu'est-ce que Thierry a oublié de faire ?
6. Que veut dire « une bonne copine » dans cette situation ?

5   **Qu'est-ce qu'ils avaient en tête ?**

1. Pourquoi Maryse a-t-elle attendu un mois pour poser des questions à sa fille ?
2. Pourquoi lui dit-elle : « en retard, comme d'habitude » ?
3. Pourquoi est-ce qu'elle s'étonne du silence de Thierry ?
4. Pourquoi Thierry dit-il à Charlotte qu'Émilie était triste de partir ?
5. Pourquoi est-ce qu'il n'est pas allé à la gare dire au revoir à Émilie ?
6. Pourquoi dit-il à Charlotte qu'Émilie n'avait pas beaucoup d'importance pour lui ?

6   **Comment est-ce qu'ils l'expriment ?**

Trouvez dans le dialogue une façon d'exprimer :

– l'étonnement,   – l'inquiétude,
– l'indifférence,   – la réprobation.

De quoi avaient-ils peur ?

Émilie : Thierry pas au rendez-vous. → *Émilie avait peur que Thierry ne vienne pas au rendez-vous.*

1. Émilie : Thierry / pas envie de la voir.
2. Émilie : Thierry / ne pas téléphoner.
3. Maryse : Émilie / triste.
4. Maryse : Émilie / ne pas partir à Albertville.
5. Thierry : Émilie / se mettre à pleurer.
6. Émilie / ne pas prendre son train.

 Quels sont les événements ?
Quelles sont les circonstances ?

Dans le récit d'Émilie, relevez les événements et les circonstances.

Événements	Circonstances et états
Il m'a téléphoné.	Il voulait que je le retrouve.
. . . .	. . . .
. . . .	. . . .
. . . .	. . . .
. . . .	. . . .
. . . .	. . . .
. . . .	. . . .

 Comment ça s'est passé ?

Faites un dialogue à partir des indications ci-dessous.

Vous savez qu'un(e) de vos ami(e)s a eu un problème avec son patron au bureau.
– Vous lui demandez ce qui s'est passé.
– Il /Elle vous dit que ça n'était pas important.
– Vous insistez pour savoir.
– Il / Elle vous raconte sa version des faits. (Par exemple : l'erreur n'était pas sérieuse. Il / Elle a pu expliquer ce qui s'était passé. Le patron a été compréhensif...)
– Vous exprimez votre surprise et votre doute.
– Il /Elle vous affirme que tout s'est bien passé comme ça.
– Vous n'insistez plus.

 Qu'est-ce qui s'est passé vraiment ?

Relisez l'épisode précédent et dites laquelle des deux versions vous paraît la plus vraie (celle d'Émilie ou celle de Thierry).
Dites pourquoi.

 C'est la vie !

Essayez de retrouver l'histoire de « La roue tourne », depuis l'inscription de Thierry au Bicyclub. C'était quand ?

 « La roue tourne ».

Expliquez le titre du feuilleton et le titre du dernier épisode.

 Jeu de rôle.
À vous de dire !

Préparez les dialogues et jouez-les avec un(e) autre étudiant(e).

1. Émilie raconte le dernier rendez-vous avec Thierry et son départ à une amie. L'amie lui pose des questions.
2. Thierry raconte son dernier rendez-vous avec Émilie à un ami. L'ami lui pose des questions.

Jeu de rôle.
Une autre fin ?

L'histoire peut se terminer autrement ! Émilie reste à Paris ! Préparez et jouez les trois fins suivantes :

1. Thierry reste avec Émilie.
2. Thierry quitte Émilie.
3. Émilie a une explication avec Charlotte.

15 **Jeu de rôle.**
Le rendez-vous manqué

Vous aviez rendez-vous avec un(e) ami(e). Il/elle n'est pas venue. Vous lui téléphonez pour savoir ce qui s'est passé.

– *Allô, alors qu'est-ce qui s'est passé hier...*

16 **Jeu de rôle.**
Consolez votre ami(e).

Un(e) ami(e) vous raconte qu'il/elle vient de rompre. Il/elle vous raconte les circonstances, les raisons, son dernier rendez-vous, etc. Vous le/la consolez :

– Dites-lui de ne pas être triste, de ne pas pleurer...
– Conseillez-lui de travailler, de voyager, de s'intéresser à d'autres personnes...

12

DES SONS ET DES LETTRES 🔊

CARACTÈRES GÉNÉRAUX DE LA PRONONCIATION DU FRANÇAIS.

■ Voyelles

– **Articulation nette, tendue** (pas de diphtongues ni de voyelles affaiblies),
– **beaucoup de voyelles antérieures** (langue à l'avant de la bouche) : [i], [e], [ɛ], [a], [y], [ø], [œ], [ɛ̃]
– **beaucoup de voyelles arrondies :**
        [u], [o], [ɔ], [õ], [y], [ø], [œ]
– **trois nasales :** [ɛ̃], [ã], [õ]

■ Accents

Accent tonique : dernière syllabe du mot ou du groupe
    J'y suis al**lé**. Ça m'est é**gal**.

Accent d'insistance :
    C'est une ville **très** chouette.

■ Liaisons

Obligatoires dans le groupe rythmique :
    J'y suis allé. Ça m'est égal.

■ Enchaînements

Dans les groupes et entre les groupes :

    Son train était à huit heures.

■ Syllabation ouverte

Syllabes terminées par un son de voyelle :

    Je / crois / qu'i / l' a / é / té / a / ssez / dé / çu.

■ Intonation

Changement de la courbe mélodique sur les syllabes portant l'accent :

    Il m'a téléphoné / samedi dernier.

3. Les adjectifs

a) Les adjectifs possessifs

	SINGULIER			PLURIEL
	personne	masculin	féminin	masculin et féminin
Un possesseur	1re	**mon** livre	**ma** sœur **mon** amie	**mes** livres / sœurs
	2^e	**ton**	**ta / ton**	**tes**
	3^e	**son**	**sa / son**	**ses**
Un possesseur ou plus	1re	**notre** livre / sœur		**nos** livres / sœurs
	2^e	**votre**		**vos**
	3^e	**leur**		**leurs**

b) Les adjectifs démonstratifs

SINGULIER		PLURIEL
masculin	féminin	masculin et féminin
ce tableau **cet** ami **cet** homme	**cette** table	**ces** tableaux / ces tables **ces** amis **ces** hommes

c) Les adjectifs quantificateurs

Il a acheté { **un peu** / assez / beaucoup / trop / un kilo } **de** café Il n'a **pas** acheté **de** café.	Il **en** a acheté { **un peu.** / assez. / beaucoup. / trop. / un kilo. } Il n'**en** a pas acheté.
Il a acheté { deux / d'autres } livres. { **assez** / beaucoup } d'œufs. Il n'a **pas** acheté **de** livres.	Il **en** acheté { **deux.** / d'autres. / assez. / beaucoup. } Il n'**en** a pas acheté.
PARTIE Il a acheté { **du** café. / **des** œufs. / **de la** viande. }	**TOTALITÉ** Il a acheté { **tout le** café. / tous les œufs. / toute la viande. }

1. Les nombres cardinaux

Ils sont invariables sauf « un, une » : il a attendu une heure.
quatre heures.

De 20 à 100, les nombres comportent un trait d'union (-) entre les composés : vingt-deux, soixante-trois, quatre-vingt-seize, mais vingt et un, soixante et un, soixante et onze...

Prononciation :
– *les chiffres seuls :* cinq [sɛ̃k], six [sis], sept [sɛt], huit [ɥit], dix [dis] ;
– devant une consonne : cinq [sɛ̃], six [si], huit [ɥi] ; dix [di] ;

– devant des voyelles ou un « h » muet :
cinq hommes [sɛ̃kɔm], six œufs [sizø] ;
huit heures [ɥitœʀ], neuf heures [nœvœʀ] ;
dix amis [dizami].

– *les dates :* le deux janvier, le trois... le trente et un janvier, mais le premier janvier, le premier mai...

– les années trente, le paragraphe 3, le chapitre 5, le quai 4, l'autoroute A6...

– *les nombres approximatifs:* avec 8, 10, 12, 15, 20, 30, 40, 50, 60 et 100 on ajoute «-aine»: une huitaine, une vingtaine, une soixantaine, une centaine.

2. Les nombres ordinaux

– La formation régulière : on ajoute « -ième » à partir de deuxième. Abréviation : ᵉ, 3ᵉ, 125ᵉ...

– Les fractions : $\frac{1}{2}$ ou 1/2 : un demi, une demie, la moitié.

$\frac{1}{4}$ ou 1/4, un quart, le quart.

Une demi-heure, une heure et demie, une heure et quart.

d) L'adjectif interrogatif et exclamatif : « Quel »

Quel bon dîner !   **Quelle** aventure !
Quels pays connaissez-vous ?   Dans **quelles** villes es-tu allé(e) ?

e) Les adjectifs qualificatifs

– Ils s'accordent en genre et en nombre avec le nom :
Une grand**e** ville.   – Cette ville est grand**e**.
Des fruits excellent**s**.   – Ces fruits sont excellent**s**.

 Si la couleur est exprimée par un nom, on ne fait pas l'accord : Des chaussures marron, des rideaux orange.

– *Les marques du genre :*
  – en langue écrite : masculin + «e» (s'il n'existe pas déjà : jaune)
  – oralement : on ajoute une consonne finale au féminin.
    grand [gʀɑ̃]   – grande [gʀɑ̃d]
    secret [səkʀɛ] – secrète [səkʀɛt]
    heureux [øʀø]   – heureuse [øʀœz]
ou la voyelle nasale finale se transforme en voyelle orale + consonne :
    bon [bõ]   – bonne [bɔn]

 beau / bel / belle – nouveau / nouvel / nouvelle
vieux / vieil / vieille (un vieux vélo, un vieil homme)

– *La place de l'adjectif :* voir le tableau « Le groupe du nom ».

– **Le comparatif :**
+ plus
= aussi   Cette voiture est   { plus / aussi / moins } rapide **que** celle-là.
– moins

 bon → meilleur.

« Plus / aussi / moins... que » se combinent aussi avec les adverbes :
Il roule **plus** vite **que** son frère.

4. Les pronoms

a) Les pronoms personnels

SUJETS			COMPLÉMENTS		NON RATTACHÉS AU VERBE
			faibles	forts	
singulier	1ʳᵉ	je	me, m'	moi	moi
	2ᵉ	tu	te, t'	toi	toi
pluriel	1ʳᵉ	nous	nous	nous	nous
	2ᵉ	vous	vous	vous	vous
			objet direct	**indirect**	
singulier	3ᵉ	il	le, l'	lui	lui
		elle	la, l'	lui	lui
pluriel	3ᵉ	ils	les	leur	eux
		elles	les	leur	elles
indéfini		on	se	se	soi
réfléchi			se	se	soi

– Le **« vous » de politesse** : « vous » peut être utilisé pour désigner une seule personne : Est-ce que vous êtes française ? L'adjectif attribut est au singulier.

– **« On »** (toujours sujet) peut désigner un ensemble de gens :
On est prêts. On est arrivés à 5 heures.
L'adjectif attribut et le participe se mettent alors au pluriel.

– La forme faible des pronoms compléments se met avant le verbe :
Il **te** regarde.
Après le verbe et après des prépositions, on emploie les formes fortes :

Donne-**moi** ce livre.
Je pars avec **toi**.

– **« Il »** est un pronom neutre dans les tournures impersonnelles :
Il pleut. Il fait jour. Il fait froid...

– On emploie les formes faibles devant « voici, voilà » :
Le voilà. Les voici...

– **« Le »** peut remplacer un groupe ou une phrase :
Tu n'es pas bien, je **le** vois.

b) « y » et « en »

« y » = à + lieu : Elle va à Nice. → Elle **y** va.

à + complément (choses) : Elle pense à ses problèmes.

→ Elle **y** pense.

« En » = de + lieu : Elle vient de Nice. → Elle **en** vient.

de + complément. Elle discute de ses problèmes.

→ Elle **en** discute.

c) Les pronoms interrogatifs

Idée de choix : Lequel / lesquels.

Laquelle / lesquelles.

Lequel veux-tu, le rouge ou le jaune ?

d) Les pronoms démonstratifs

« Celui / ceux, celle / celles » ne se trouvent pas seuls. Ils sont suivis de :

– « -ci » ou « -là » : C'est **celui-là** que je veux.

– « de » + complément : Ces livres, ce sont **ceux de** Sabine.

Deux formes invariables :

– « **ce** » dans : Il veut savoir ce que vous faites.

– « **ceci, cela, ça** » : Donne-moi **ça** ! (« Ça » est la forme couramment employée).

Le groupe du verbe

1. La conjugaison

(Voir les tableaux ci-après.)

Chaque forme se compose d'un **radical** et d'une **terminaison** :
Nous CHOISISS-ons.

On classe traditionnellement les verbes en 3 groupes :

– 1er groupe : les verbes en « -ER ». Ils sont réguliers, sauf « aller ».

– 2e groupe : les verbes en « -IR » (sauf quelques irréguliers).

– 3e groupe : les autres verbes, dits irréguliers.

Le passé récent et le futur proche

• « Venir de » + infinitif indique une action récente :

Il vient de sortir.

• « Aller » + infinitif indique une intention de celui qui parle ou une action qui doit se réaliser :

Il va sortir. Je vais sortir. (J'en suis certaine.)

2. La construction des verbes

Verbes intransitifs = sans complément : Il dort. Vous mangez.

Verbes transitifs = avec objet direct (OD) : Il invite ses amis.

= avec objet indirect (OI) : Il parle à ses amis.

Le complément du verbe peut être :

– un nom   – Il aime **son chien.**

– un pronom   – Il **l'**aime.

– un infinitif   – Il aime **jouer.**

– une proposition – Il aime **qu'on lui parle.**

Verbes pronominaux

– réfléchis :   Je me lève.

Elle s'achète un livre. (« s' » = pour « elle »)

– réciproques : Ils se regardent. (= l'un l'autre)

Les verbes impersonnels ne s'emploient qu'à la troisième personne du singulier avec « il » : Il pleut. Il fait beau. Il faut faire ceci...

3. Valeurs et emplois des modes et des temps

a) Présent de l'indicatif

– Action en cours : Je déjeune. (en ce moment)

– Action habituelle : Je déjeune. (tous les jours à midi)

– Vérité ou qualité durable : Le silence est d'or.

– Expression du futur : Je pars demain.

– Condition réalisable : Si tu viens demain, (on part).

– Ordre : Tu viens avec moi !

b) Passé composé

– Action passée présentée comme achevée : Il est venu hier.

– Récit au passé.

c) Imparfait

– Circonstances d'un événement : Il pleuvait quand je suis sorti.

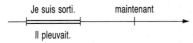

– Description d'un état passé : Il faisait beau. Les gens étaient heureux.

– Habitude ou répétition : J'allais au cours tous les jours.

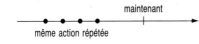

d) Impératif

– Ordre   Entrez. Asseyez-vous.

– Conseil   Soyez prudent.

– Invitation

e) Subjonctif

• *Après les verbes exprimant :*

– la volonté, le souhait – Je veux / Je souhaite qu'il / elle vienne.

– le doute   – Je ne crois pas qu'il / elle vienne.

– le jugement   – Il est important qu'il / elle vienne.

– une émotion   – Je suis heureux / désolé... J'ai peur qu'il vienne.

Si le sujet des deux verbes est le même, le 2e verbe est à l'infinitif : Je veux venir. Je suis heureux de venir. J'ai peur de venir.

• *Après certaines conjonctions* : Je lui écris pour qu'il vienne.

f) Infinitif
– Comme nom : Vouloir c'est pouvoir.
– Comme complément d'un verbe : Vous aimez conduire. Il commence à travailler.
– Pour l'ordre et la défense : Brancher l'appareil. Ne pas toucher.

g) Participe passé
– Comme adjectif : Des étudiants fatigués. Un rideau levé.

– Dans le passé composé : Ils ont travaillé. Elles sont venues.

 Si l'auxiliaire est « être », l'accord avec le sujet est obligatoire : Elles sont parties.

 Avec les verbes pronominaux, il n'y a accord que si le pronom complément est objet direct :
Elles se sont habillées.

mais Elles se sont acheté des vêtements. (« se » = pour « elles »)

La phrase complexe

Une **phrase complexe** se compose de deux parties (ou plus) appelées **propositions**. Chaque proposition contient un sujet et un verbe.

1. La coordination

Les deux parties sont sur le même plan et reliées par une conjonction de coordination (« et, ou, or, mais »...).
Thierry fait du vélo **et** il est membre d'un club.

2. La subordination

a) Les propositions sont reliées par une conjonction de subordination (« que, parce que, pour que »...). Le verbe de la subordonnée est soit à l'indicatif, soit au subjonctif.

– *Indicatif :* | Je crois/pense/sais | qu'il va venir.
Il va venir | parce qu'il a besoin de moi.
Je t'invite à déjeuner | si tu viens.
– *Subjonctif :* Je veux/souhaite | qu'il vienne.
Je lui ai écrit | pour qu'il vienne.

b) La proposition subordonnée a un verbe à l'infinitif.
Je veux | lui parler.
Je viens | pour lui parler.

 L'infinitif est obligatoire si les deux propositions ont le même sujet.

Accents et signes de ponctuation

1. Les accents
Il y a quatre accents en français, seulement sur les voyelles :
– *L'accent aigu* (´) : seulement sur le « e ».
– *L'accent grave* (`) : sur « e », « a » et « u ».
L'accent grave permet de distinguer :
• « a » (avoir) et « à » (préposition) ;
• « la » (article, pronom) de « là » (adverbe) ;
• « ou » (conjonction) de « où » (adverbe).
– *L'accent circonflexe* (^) : sur toutes les voyelles.
– *Le tréma* (¨) : détache une voyelle d'une autre voyelle.

2. Les signes de ponctuation
– Le point (.) : à la fin d'une phrase, dans les abréviations.
– La virgule (,) : marque une pause entre groupes.
– Le point-virgule (;) : pause entre propositions.
– Les deux points (:) : annonce une explication ou une citation.

– Les guillemets (« ») : pour les énoncés en style direct (dialogue) et les citations.
– Les parenthèses ( ) : pour les remarques à mettre à part.
– Les points de suspension (...) : phrases non achevées.
– Le tiret (–) changement de locuteur en style direct (dialogue) et dans les énumérations.

3. Les signes orthographiques
– L'apostrophe (') : suppression de « a » ou de « e ».
– Le c-cédille (ç) se prononce « s » devant « a, o et u ».
– Le trait d'union (-) : pour lier des mots (trente-cinq), et diviser des mots en fin de ligne (fran- çais).

 Couper après la voyelle : ca-mion, change-ment.
Couper entre deux consonnes : ac-cent, vir-gule, sauf si la seconde est « r » ou « l » : ta-ble, théâ-tre.

TABLEAUX DE CONJUGAISON

REMARQUES GÉNÉRALES SUR LA CONJUGAISON

- Il y a **plus de formes en français écrit qu'en français oral.**
- Chaque forme verbale se décompose en **radical + terminaison.**

Temps simples

Verbes comme « chanter » :

INFINITIF	personnes	radical	INDICATIF présent	SUBJONCTIF présent	INDICATIF imparfait	IMPÉRATIF	PARTICIPES présent	passé
CHANTER 1 radical	je tu il/elle	**CHANT-**	e es e	e es e	ais ais ait	e	ant	é
	nous vous		ons ez	ions iez	ions iez	ons ez		
	ils/elles		ent	ent	aient			

Verbes autres que « chanter » à 1, 2 ou 3 radicaux :

INFINITIF	pers.	radical 1	2	3	INDICATIF présent	imparfait	SUBJONCTIF présent	IMPÉRATIF	PARTICIPES
									passé
RÉPONDRE 1 radical	je tu il/elle	**RÉPOND-**	**FINI-**	**BOI-**	s s t	ais ais ait	e es e	s	**répond-u** **fini** **b-u**
FINIR 2 radicaux	nous vous			**BUV-**	ons ez	ions iez	ions iez	ons ez	
BOIRE 3 radicaux	ils/elles	**FINISS-**		**BOIV-**	ent	aient	ent		présent **ant**

- **L'imparfait** est toujours construit sur le **radical de la première personne du pluriel du présent de l'indicatif :**

  Nous finiss -ons   *Je finiss -ais*
  Nous buv -ons   *Je buv-ais*

  Vous êtes   *J'étais*

- **Le subjonctif présent** se construit à partir **du radical de la 3ᵉ personne du pluriel du présent de l'indicatif.**

  Ils finiss -ent   *Que je finiss -e*
  Ils boiv -ent   *Que je boiv -e*

  Si le verbe a un **radical spécial à la 1ʳᵉ et à la 2ᵉ personne du pluriel du présent de l'indicatif,** les personnes correspondantes du subjonctif utilisent ces radicaux :

  Nous finiss -ons   *Que nous finiss -ions*
  Nous buv -ons   *Que nous buv -ions*

INFINITIF	INDICATIF		SUBJONCTIF	IMPÉRATIF	PARTICIPE
	Présent	**Imparfait**	**Présent**	**Présent**	**Passé**
Être *(Auxiliaire)*	je **suis** tu **es** il/elle **est** nous **sommes** vous **êtes** ils/elles **sont**	j'**étais** tu étais il/elle était nous étions vous étiez ils/elles étaient	que je **sois** que tu sois qu'il/elle soit que nous soyons que vous soyez qu'ils/elles soient	sois soyons soyez	été
Avoir *(Auxiliaire)*	j'**ai** tu **as** il/elle **a** nous **av**ons vous avez ils/elles **ont**	j'**av**ais tu avais il/elle avait nous avions vous aviez ils/elles avaient	que j'**aie** que tu aies qu'il/elle ait que nous ayons que vous ayez qu'ils/elles aient	aie ayons ayez	eu
Aller	je **vais** tu **vas** il/elle **va** nous **all**ons vous allez ils/elles **vont**	j'**all**ais tu allais il/elle allait nous allions vous alliez ils/elles allaient	que j'**aille** que tu ailles qu'il/elle aille que nous allions que vous alliez qu'ils/elles aillent	va allons allez	allé
S'asseoir	je m'**assied**s tu t'**assied**s il/elle s'**assied** nous nous **assey**ons vous vous asseyez ils/elles s'**assey**ent	je m'asseyais tu t'asseyais il/elle s'asseyait nous nous asseyions vous vous asseyiez ils/elles s'asseyaient	que je m'asseye que tu t'asseyes qu'il/elle s'asseye que nous nous asseyions que vous vous asseyiez qu'ils/elles s'asseyent	assieds-toi asseyons-nous asseyez-vous	**assis**
Boire	je **bois** tu bois il/elle boit nous **buv**ons vous buvez ils/elles **boiv**ent	je buvais tu buvais il/elle buvait nous buvions vous buviez ils/elles buvaient	que je boive que tu boives qu'il/elle boive que nous buvions que vous buviez qu'ils/elles boivent	bois buvons buvez	**bu**
Chanter	je **chant**e tu chantes il/elle chante nous chantons vous chantez ils/elles chantent	je chantais tu chantais il/elle chantait nous chantions vous chantiez ils/elles chantaient	que je chante que tu chantes qu'il/elle chante que nous chantions que vous chantiez qu'ils/elles chantent	chante chantons chantez	chanté
Choisir	je **choisis** tu choisis il/elle choisit nous **choisiss**ons vous choisissez ils/elles choisissent	je choisissais tu choisissais il/elle choisissait nous choisissions vous choisissiez ils/elles choisissaient	que je choisisse que tu choisisses qu'il/elle choisisse que nous choisissions que vous choisissiez qu'ils/elles choisissent	choisis choisissons choisissez	choisi
Conduire	je **conduis** tu conduis il/elle conduit nous **conduis**ons vous conduisez ils/elles conduisent	je conduisais tu conduisais il/elle conduisait nous conduisions vous conduisiez ils/elles conduisaient	que je conduise que tu conduises qu'il/elle conduise que nous conduisions que vous conduisiez qu'ils/elles conduisent	conduis conduisons conduisez	conduit

INFINITIF	INDICATIF		SUBJONCTIF	IMPÉRATIF	PARTICIPE
	Présent	Imparfait	Présent	Présent	Passé
Connaître (Apparaître Paraître Reconnaître)	je **connais** tu connais il/elle connaît nous **connaiss**ons vous connaissez ils/elles connaissent	je connaissais tu connaissais il/elle connaissait nous connaissions vous connaissiez ils/elles connaissaient	que je connaisse que tu connaisses qu'il/elle connaisse que nous connaissions que vous connaissiez qu'ils/elles connaissent	connais connaissons connaissez	**connu**
Craindre (Éteindre Peindre Se plaindre)	je **crains** tu crains il/elle craint nous **craign**ons vous craignez ils/elles craignent	je craignais tu craignais il/elle craignait nous craignions vous craigniez ils/elles craignaient	que je craigne que tu craignes qu'il/elle craigne que nous craignions que vous craigniez qu'ils/elles craignent	crains craignons craignez	**craint**
Croire	je **crois** tu crois il/elle croit nous **croy**ons vous croyez ils/elles croient	je croyais tu croyais il/elle croyait nous croyions vous croyiez ils/elles croyaient	que je croie que tu croies qu'il/elle croie que nous croyions que vous croyiez qu'ils/elles croient	crois croyons croyez	**cru**
Devoir	je **dois** tu dois il/elle doit nous **dev**ons vous devez ils/elles **doiv**ent	je devais tu devais il/elle devait nous devions vous deviez ils/elles devaient	que je doive que tu doives qu'il/elle doive que nous devions que vous deviez qu'ils/elles doivent	(inusité)	**dû**
Dire	je **dis** tu dis il/elle dit nous **dis**ons vous dites ils/elles disent	je disais tu disais il/elle disait nous disions vous disiez ils/elles disaient	que je dise que tu dises qu'il/elle dise que nous disions que vous disiez qu'ils/elles disent	dis disons dites	dit
Écrire	j'**écris** tu écris il/elle écrit nous **écriv**ons vous écrivez ils/elles écrivent	j'écrivais tu écrivais il/elle écrivait nous écrivions vous écriviez ils/elles écrivaient	que j'écrive que tu écrives qu'il/elle écrive que nous écrivions que vous écriviez qu'ils/elles écrivent	écris écrivons écrivez	écrit
Faire	je **fais** tu fais il/elle fait nous **fais**ons vous **faites** ils/elles **font**	je faisais tu faisais il/elle faisait nous faisions vous faisiez ils/elles faisaient	que je **fasse** que tu fasses qu'il/elle fasse que nous fassions que vous fassiez qu'ils/elles fassent	fais faisons faites	fait
Falloir (Valoir)	il **faut**	il **fallait**	qu'il **faille**	(inusité)	**fallu**

INFINITIF	INDICATIF		SUBJONCTIF	IMPÉRATIF	PARTICIPE
	Présent	Imparfait	Présent	Présent	Passé
Mettre (Permettre Promettre)	je **mets** tu mets il/elle met nous **mett**ons vous mettez ils/elles mettent	je mettais tu mettais il/elle mettait nous mettions vous mettiez ils/elles mettaient	que je mette que tu mettes qu'il/elle mette que nous mettions que vous mettiez qu'ils/elles mettent	mets mettons mettez	**mis**
Mourir	je **meurs** tu meurs il/elle meurt nous **mour**ons vous mourez ils/elles meurent	je mourais tu mourais il/elle mourait nous mourions vous mouriez ils/elles mouraient	que je meure que tu meures qu'il/elle meure que nous mourions que vous mouriez qu'ils/elles meurent	meurs mourons mourez	**mort/te**
Naître	je **nais** tu nais il/elle naît nous **naiss**ons vous naissez ils/elles naissent	je naissais tu naissais il/elle naissait nous naissions vous naissiez ils/elles naissaient	que je naisse que tu naisses qu'il/elle naisse que nous naissions que vous naissiez qu'ils/elles naissent	nais naissons naissez	**né**
Partir (Dormir Sentir Sortir)	je **pars** tu pars il/elle part nous **part**ons vous partez ils/elles partent	je partais tu partais il/elle partait nous partions vous partiez ils/elles partaient	que je parte que tu partes qu'il/elle parte que nous partions que vous partiez qu'ils/elles partent	pars partons partez	parti
Plaire	je **plais** tu plais il/elle plaît nous **plais**ons vous plaisez ils/elles plaisent	je plaisais tu plaisais il/elle plaisait nous plaisions vous plaisiez ils/elles plaisaient	que je plaise que tu plaises qu'il/elle plaise que nous plaisions que vous plaisiez qu'ils/elles plaisent	plais plaisons plaisez	**plu**
Pleuvoir	il **pleut**	il **pleuv**ait	qu'il pleuve	(n'existe pas)	**plu**
Pouvoir	je **peux** tu peux il/elle peut nous **pouv**ons vous pouvez ils/elles **peuv**ent	je pouvais tu pouvais il/elle pouvait nous pouvions vous pouviez ils/elles pouvaient	que je **puiss**e que tu puisses qu'il/elle puisse que nous puissions que vous puissiez qu'ils/elles puissent	(inusité)	**pu**
Prendre (Apprendre Comprendre Reprendre)	je **prends** tu prends il/elle prend nous **pren**ons vous prenez ils/elles **prenn**ent	je prenais tu prenais il/elle prenait nous prenions vous preniez ils/elles prenaient	que je prenne que tu prennes qu'il/elle prenne que nous prenions que vous preniez qu'ils/elles prennent	prends prenons prenez	**pris**

INFINITIF	INDICATIF		SUBJONCTIF	IMPÉRATIF	PARTICIPE
	Présent	Imparfait	Présent	Présent	Passé
Savoir	je **sais** tu sais il/elle sait nous **sav**ons vous savez ils/elles savent	je savais tu savais il/elle savait nous savions vous saviez ils/elles savaient	que je **sache** que tu saches qu'il/elle sache que nous sachions que vous sachiez qu'ils/elles sachent	sache sachons sachez	**su**
Suivre	je **suis** tu suis il/elle suit nous **suiv**ons vous suivez ils/elles suivent	je suivais tu suivais il/elle suivait nous suivions vous suiviez ils/elles suivaient	que je suive que tu suives qu'il/elle suive que nous suivions que vous suiviez qu'ils/elles suivent	suis suivons suivez	**suivi**
Valoir	je **vaux** tu **vaux** il/elle **vaut** nous **val**ons vous valez ils/elles valent	je valais tu valais il/elle valait nous valions vous valiez ils/elles valaient	que je **vaill**e que tu vailles qu'il/elle vaille que nous valions que vous valiez qu'ils/elles vaillent		**valu**
Venir (Devenir Revenir Tenir)	je **vien**s tu viens il/elle vient nous **ven**ons vous venez ils/elles **vienn**ent	je venais tu venais il/elle venait nous venions vous veniez ils/elles venaient	que je vienne que tu viennes qu'il/elle vienne que nous venions que vous veniez qu'ils/elles viennent	viens venons venez	**venu**
Vivre	je **vis** tu vis il/elle vit nous **viv**ons vous vivez ils/elles vivent	je vivais tu vivais il/elle vivait nous vivions vous viviez ils/elles vivaient	que je vive que tu vives qu'il/elle vive que nous vivions que vous viviez qu'ils/elles vivent	vis vivons vivez	**vécu**
Voir	je **vois** tu vois il/elle voit nous **voy**ons vous voyez ils/elles voient	je voyais tu voyais il/elle voyait nous voyions vous voyiez ils/elles voyaient	que je voie que tu voies qu'il/elle voie que nous voyions que vous voyiez qu'ils/elles voient	vois voyons voyez	**vu**
Vouloir	je **veux** tu **veux** il/elle **veut** nous **voul**ons vous voulez ils/elles **veul**ent	je voulais tu voulais il/elle voulait nous voulions vous vouliez ils/elles voulaient	que je **veuill**e que tu veuilles qu'il/elle veuille que nous voulions que vous vouliez qu'ils/elles veuillent	veux *ou* veuille voulons *ou* veuillons voulez *ou* veuillez	**voulu**

Index
des actes de parole

	N° du dossier ou situation de classe (s.c.)			N° du dossier ou situation de classe (s.c.)
permission (demander une)	Je peux venir avec vous ?	7	**remercier**	Merci (bien / beaucoup) — 1 C'est très gentil. — 4 C'est drôlement sympa. — 4
préférence (exprimer une)	Je préfère ça.	12	**requête** (faire une)	Est-ce que je peux... ? — 5 ... s'il vous plaît. — 1
présenter quelqu'un	Voilà... Elle, c'est... Moi, c'est... — 1 Je te / vous présente... — 2 Très heureux. Enchanté(e). Salut. — 1		**reprocher**	La prochaine fois, pense à... — 6 Mais tu sais, à huit heures du matin ! — 6 Si tu es d'accord avec eux ! — 11 Ce n'est pas très sympa... — 12
probabilité (exprimer la)	Peut-être. / Ça peut vous être utile. — 7 Il peut faire froid la nuit. — 7		**saluer**	Bonjour (monsieur / madame...). Au revoir. — 1 Salut. Comment allez-vous ? Ça va ? — 1 Vous allez bien ?
promettre	La prochaine fois.	9	**situer dans l'espace**	Où est le... ? Le... c'est où ? — 4 Vous savez où c'est ? Il y a une... près d'ici. — 4 C'est assez loin. — 4 C'est + préposition + nom de lieu. — 4
proposer	Tu viens avec moi au... ? — 6 Tu ne veux pas sortir avec moi ? — 6 On se retrouve chez moi ? — 9		**souhaiter**	Je souhaite qu'il n'y ait plus de chômage. — 11
protester	Mais, madame, on travaille, nous ! — 3 Dites, on est livreurs, pas déménageurs ! — 3		**surprise** (exprimer la)	Qu'est-ce que je vois ? — 3 Mais ce ne sont pas mes meubles ! — 3 Aux Bains ! — 6 Comment ça, tu n'y vas pas ! — 10 Ah oui ! — 12
recommander	N'oublie pas de... Ne dis pas de bêtises. — 10		**tranquilliser**	Soyez patiente. Rien, rien... Ne te tâche pas. — 8 Allez, calme-toi. — 10 N'exagérons rien. — 11
refuser	Non, pas moi, je te remercie. — 8 De toute façon, moi, c'est sûr, je n'y vais pas. — 10 Euh... oui, mais aujourd'hui c'est impossible. — 11			
regretter	Je suis désolé(e)	4		
rejeter	Bon, vos histoires, moi, hein... ! — 2 Ah non ! Je n'aime pas beaucoup les boîtes. — 6			

Stratégies de communication

	N° du dossier ou situation de classe (s.c.)			N° du dossier ou situation de classe (s.c.)
attirer l'attention	Excusez-moi. — 1 Allô ! (téléphone) Écoutez-moi. — s.c. Dis. / Dites. / Dites donc. — 5 Thierry ? Tu sais. Thierry...		**rejeter**	Mais non, en randonnée ! — 7 Il y a erreur. — 3 Pas vraiment. Je ne crois pas. C'est faux. Il ne faut pas exagérer ! — 1
clarification (demander une)	Qu'est-ce que ça veut dire ? — s.c. Qu'est-ce que vous voulez dire ? — s.c. C'est (bien) ça ?		**relancer la conversation**	Oui, qu'est-ce que vous en pensez ? — s.c. Vous avez une idée ? Et alors ?
compréhension (exprimer sa)	Oui. C'est ça. Bien sûr. Je vois. C'est bien normal. — 11		**répéter** (faire)	Pardon ? Hein ? Comment ? Quoi ? — s.c. Qu'est-ce que vous dites ? Répétez, s'il vous plaît.
confirmation (demander)	C'est bien le... ? — 1 Vous êtes bien... ? — 1		**solidarité** (exprimer sa)	Ce n'est rien — 1 Je sais... — 2 Je vois. — 3 Je suis bien d'accord avec vous. — 4 Madame a raison. — 4 Je m'en doute. — 8
hésiter gagner du temps	Euh... Alors... — s.c. Attendez. — s.c. Peut-être. — s.c. Enfin... je veux dire...		**solliciter l'approbation**	Alors, elle n'est pas super cette boîte ? — 6 C'est fou, non ? — 3 Je suis majeure, non ? — 11
interrompre	Oui, mais... — s.c. Excusez-moi.			
mettre fin à un échange	Dis donc, tu sais l'heure ? — 5 Bon, alors... Bon, eh bien !... Il faut que je parte !			

LEXIQUE

L'index répertorie les mots contenus dans les textes, documents et exercices, à l'exclusion du feuilleton proposé en lecture libre.

Le numéro qui figure à gauche du mot renvoie à la page du manuel où le mot apparaît pour la première fois. La traduction fournie est donc celle de l'acception de ce mot dans le contexte de son premier emploi.

Certains mots « transparents », mots dont la forme et le sens sont proches de ceux de la langue des apprenants, n'ont pas été répertoriés.

adj. :	adjectif	**loc.** :	locution	**prep.** :	préposition	**v. t.** :	verbe transitif
adv. :	adverbe	**n.f.** :	nom féminin	**pr.** :	pronom	**v. int.** :	verbe intransitif
conj. :	conjonction	**n.m.** :	nom masculin	**v. aux.** :	verbe auxiliaire	**v. irr.** :	verbe irrégulier
						v. pr. :	verbe pronominal

A

115	**abandonner,** v.t.	give up	aufgeben	abandonar	abbandonare	εγκαταλείπω
86	**d'abord,** adv.	first	zuerst	primero	innanzitutto	πρώτα
82	**accepter,** v.t.	accept	akzeptieren	aceptar	accettare	δέχομαι
107	**acclamation,** n.f.	cheers	Beifall	aclamación	acclamazione	επευφημία
108	**accompagner,** v.t.	accompany	begleiten	acompañar	accompagnare	συνοδεύω
82	**action,** n.f.	action	Handlung	acción	azione	πράξη
24	**acteur/actrice,** n.	actor/ress	Schauspieler/in	actor/actriz	attore, attrice	ηθοποιός
59	**admirer,** v.t.	admire	bewundern	admirar	ammirare	θαυμάζω
138	**adorer,** v.t.	adore	anbeten	adorar	adorare	λατρεύω
8	**adresse,** n.f	address	Adresse	dirección	indirizzo	διεύθυνση
142	**s'adresser à,** v.pr.	address	sich wenden an	dirigirse a	rivolgersi a	απευθύνομαι
36	**affiche,** n.f.	poster	Plakat	cartel	poster	αφίσσα
115	**affirmer,** v.t.	assure	versichern	asegurar	assicurare	βεβαιώνω
8	**âge,** n.m.	age	Alter	edad	età	ηλικία
14	**agent,** n.m.	police officer	Polizist	policía	poliziotto	αστυνομικός
79	**agréable,** adj.	pleasant	angenehm	agradable	gradevole	ευχάριστος
23	**agriculteur,** n.m.	farmer	Landwirt	agricultor	agricoltore	αγρότης
41	**aimable,** adj.	nice. kind	liebenswürdig	amable	gentile	αγαπητός
111	**aider,** v.t.	help	helfen	ayudar	aiutare	Βοηθώ
26	**aimer,** v.t.	like. love	lieben, mögen	querer, gustar	amare, piacere	αγαπώ
92	**aliment,** n.m.	food	Lebensmittel	alimento	cibo	τροφή
18	**aller,** v. int. irr.	go	gehen, fahren	ir	andare	πηγαίνω
72	**allumage,** n.m.	ignition	Zündung	encendido	accensione	άναμμα
73	**allumer,** v.t.	light, turn on	anstellen	encender	accendere	ανάβω
10	**alors,** adv.	then	dann	entonces, pues	allora	τότε
114	**amant,** n.m.	lover	Geliebter	amante	amante	εραστής
162	**ambiance,** n.f.	atmosphere	Stimmung	ambiente	atmosfera	ατμόσφαιρα
30	**ambition,** n.f.	ambition	Ehrgeiz	ambición	ambizione	φιλοδοξία
100	**amélioration,** n.f.	improvement	Verbesserung	mejoramiento	miglioramento	βελτίωση
22	**ami/e,** n.	friend	Freund/in	amigo/a	amico, a	φίλος
83	**s'amuser,** v.	have fun	sich amüsieren	divertirse	divertirsi	διασκεδάζω
12	**an, n.m. / année,** n.f.	year	Jahr	año	anno	έτος
59	**ancien/ne,** adj.	old	alt	antiguo/a	antico	παλιό
111	**angoisse,** n.f.	anguish	Angst (gefühl)	angustia	angoscia	αγωνία
40	**animal/aux,** n.m.	animal	Tier/e	animal	animale	ζώο
59	**animation,** n.f.	hustle & bustle	reges Leben	movimiento	animazione	ζωντάνια
76	**anniversaire,** n.m.	birthday	Geburtstag	cumpleaños	compleanno	γενέθλια
44	**annonce,** n.f.	ad	Anzeige	anuncio	annuncio	αγγελία
129	**apparaître,** v. int.	appear	erscheinen	aparecer	apparire	εμφανίζομαι
19	**appareil,** n.m.	phone	Apparat	teléfono	telefono	τηλέφωνο
27	**appartement,** n.m.	flat	Wohnung	piso	appartamento	διαμέρισμα
8	**s'appeler,** v.pr.	be called	heissen	llamarse	chiamarsi	ονομάζομαι
143	**apprécier,** v.t.	appreciate	würdigen	apreciar	apprezzare	εκτιμώ
162	**après-midi,** n.f.	afternoon	Nachmittag	tarde	pomeriggio	απόγευμα
146	**argent,** n.m.	money	Geld	dinero	soldi	χρήμα
123	**armée,** n.f.	army	Armee	fuerzas armadas	esercito	στρατός
36	**armoire,** n.f.	wardrobe	Schrank	armario	armadio	ντουλάπι
163	**arracher,** v.t.	pull out	ent-/abreissen	arrancar	strappare	αρπάζω
51	**arrêt,** n.m.	stop	Haltestelle	parada	fermata	στάση
26	**arriver,** v. int.	arrive	ankommen	llegar	arrivare	φτάνω
58	**art,** n.m.	art	Kunst	arte	arte	τέχνη
171	**artisan,** n.m.	craftsman	Handwerker	artesano	artigiano	βιοτέχνης
40	**ascenseur,** n.m.	lift	Aufzug	ascensor	ascensore	ασανσέρ
114	**asile,** n.m.	refuge	Zuflucht	refugio	rifugio	καταφύγιο
13	**s'asseoir,** v.pr.	sit down	sich setzen	sentarse	sedersi	κάθομαι
135	**assez,** adv.	enough	genug	bastante	abbastanza	αρκετά

106	**associer,** v.t.	associate	assoziieren	asociar	associare	συνεταιρίζομαι
167	**assurer,** v.t.	assure	versichern	asegurar	assicurare	εξασφαλίζω
13	**attendre,** v.t.	wait	warten	esperar	aspettare	περιμένω
160	**attentif,** adj.	attentive	aufmerksam	atento	attento	προσεκτικός
82	**attention,** n.f.	attention	Aufmerksamkeit	atención	attenzione	προσοχή
82	**attirer,** v.t.	attract	anziehen	atraer	attirare	τραβώ
106	**auditeur/trice,** n.	listener	Zuhörer	oyente	ascoltatore, trice	ακροατής
23	**aujourd'hui,**	today	heute	hoy	oggi	σήμερα
9	**aussi,** adv.	also	auch	también	anche	επίσης
142	**authentique,** adj.	genuine	echt	auténtico	autentico	αυθεντικός
76	**automne,** n.m.	autumn	Herbst	otoño	autunno	φθινόπωρο
64	**automobiliste,** n.	driver	Autofahrer	automovilista	automobilista	αυτοκινητιστής
128	**autonome,** adj.	self-sufficient	selbständig	autónomo	autonomo	αυτόνομος
102	**autour,** adv.	around	um	alrededor	intorno	γύρω από
86	**autre,** adj., pr.	other	ander -	otro	altro	άλλος
73	**avance,** n.f.	forward	Vorlauf	adelante	avanti	προβάδισμα
82	**avant,** prep.	before	vor	antes	prima	προ
134	**avantage,** n.m.	advantage	Vorteil	ventaja	vantaggio	πλεονέκτημα
14	**avec,** prep.	with	mit	con	con	μαζί, με
64	**avion,** n.m.	plane	Flugzeug	avión	aereo	αεροπλάνο

B

96	**bagage,** n.m.	luggage	Gepäck	equipaje	bagaglio	αποσκευη
162	**bagarre,** n.f.	brawl	Schlägerei	gresca	rissa	καυγάς
93	**baguette,** n.f.	loaf	Baguette	pan	sfilatino	φρατζόλα
142	**baie,** n.f.	bay	Bucht	bahía	baia	παραλία
142	**se baigner,** v.pr.	go swimming	schwimmen, baden	bañarse	fare il bagno	κολυμπώ
129	**baleine,** n.f.	whale	Wal	ballena	balena	φάλαινα
93	**banane,** n.f.	banana	Banane	platano	banana	μπανάνα
72	**bande,** n.f.	tape	Band	cinta	banda	ταινία
162	**barricade,** n.f.	barricade	Barrikade	barricada	barricata	οδόφραγμα
59	**bas/se,** adj.	low	niedrig	bajo	basso	χαμηλός/ή/ό
129	**bateau,** n.m.	ship	Boot, Schiff	barco	barca	πλοίο
50	**bâtiment,** n.m.	building	Gebäude	edificio	edificio	κτίριο
76	**beau/belle,** adj.	beautiful	schön	bonito/a	bello, a	ωραίος/α
92	**besoin,** n.m.	need	Bedarf	necesidad	bisogno	ανάγκη
153	**bêtise,** n.f.	foolishness	Dummheit	tontería	sciocchezza	βλακεία
137	**beurre,** n.m.	butter	Butter	mantequilla	burro	βούτυρο
16	**bien,** adv.	well/really	gut	bien	bene	καλά
23	**bien sûr,** loc.	of course	natürlich	claro	certo	οπωσδήποτε
14	**bientôt,** adv.	soon	bald	pronto	presto	σὺντομα
56	**billet,** n.m.	ticket	Fahrkarte	billete	biglietto	εισιτήριο
87	**biscotte,** n.f.	rusk	Zwieback	"pan toast"	fetta biscottata	φρυγανιά
104	**bistrot,** n.m.	bar	Bistro	taberna	bar	λαϊκό μπάρ
36	**bizarre,** adj.	strange	merkwürdig	raro/a	strano	παράξενο
51	**blanc,** adj.	white	weiss	blanco	bianco	λευκό
162	**se blesser,** v.pr.	hurt o.s.	sich verletzen	lastimarse	ferirsi	πληγώνομαι
51	**bleu,** adj.	blue	blau	azul	blu	γαλάζιο
68	**blouson,** n.m.	jacket	Blouson, Jacke	cazadora	giubbotto	σακκάκι
93	**bœuf,** n.m.	beef	Rind	buey	bue	βόδι
92	**boire,** v.t.	drink	trinken	beber	bere	πίνω
27	**bois,** n.m.	wood	Wald	bosque	bosco	δάσος
31	**bon,** adj.	good	gut	bueno	buono	καλός
139	**bouger,** v.i.	move	sich bewegen	moverse	muovere	κινούμαι
50	**boulangerie,** n.f.	bakery	Bäckerei	panadería	panetteria	φουρνάδικο
83	**boulot,** n.m.	job	Job, Arbeit	trabajo	lavoro	δουλειά
50	**bout,** n.m.	end	Ende	final	fine	άκρη
95	**bouteille,** n.f.	bottle	Flasche	botella	bottiglia	μπουκάλι
73	**bouton,** n.m.	switch	Schalter	botón	bottone	κουμπί
64	**branche,** n.f.	line of business	Branche	sector	settore	κλάδος
104	**brasserie,** n.f.	pub	Bierlokal	cervecería	birreria	μπυραρία
69	**bruit,** n.m.	noise	Geräusch,	ruido	rumore	θόρυβος
157	**brûler,** v.t.	burn	verbrennen	quemar	bruciare	καίω
102	**bulletin,** n.m.	bulletin	Informationspapier	boletín	bollettino	δελτίο

100	**cadre,** n.m.	executive	leitender Angestellter	ejecutivo	quadro	στέλεχος
78	**calme,** adj.	quiet/calm	ruhig	tranquilo/a	calmo	ήρεμος
40	**camion,** n.m.	truck	Lastwagen	camión	camion	φορτηγό
111	**car,** n.m.	coach	Bus	autocar	bus	πούλμαν
50	**carrefour,** n.m.	crossroads	Kreuzung	cruce	incrocio	σταυροδρόμι
31	**carrière,** n.f.	career	Karriere	carrera	carriera	σταδιοδρομία
92	**carotte,** n.f.	carrot	Karotte	zanahoria	carota	καρότο
157	**cas,** n.m.	case	Fall	caso	caso	περίσταση
74	**casque,** n.m.	helmet	Helm	casco	casco	κράνος
156	**cause,** n.f.	cause	Ursache	causa	causa	αιτία
111	**cave,** n.f.	cellar	Keller	bodega	cantina	κάβα
52	**célèbre,** adj.	famous	berühmt	célebre	celebre	διάσημος
8	**célibataire,** adj.	single	ledig	soltero/a	celibe, nubile	ανύπανδρος
135	**cependant,** conj.	nevertheless	dennoch	sin embargo	tuttavia	ωστόσο
93	**céréale,** n.f.	cereal	Getreide	cereal	cereale	δημητριακά
162	**certain,** adj.	sure	gewiss, sicher	seguro	sicuro	βέβαιος
121	**chaîne,** n.f.	chain	Kette	cadena	catena	αλυσίδα
36	**chaise,** n.f.	chair	Stuhl	silla	sedia	καρέκλα
39	**chambre,** n.f.	bedroom	Schlafzimmer	cuarto	camera	δωμάτιο
160	**chamois,** n.m.	chamois	Gemse	gamuza	camoscio	σαμουά
40	**chance,** n.f.	luck	Glück	suerte	fortuna	τύχη
82	**changer,** v.t.	change	ändern	cambiar	cambiare	αλλάζω
32	**chanson,** n.f.	song	Lied	canción	canzone	τραγούδι
24	**chanteur,** n.m.	singer	Sänger	cantor	cantante	τραγουδιστής
120	**chapeau,** n.m.	hat	Hut	sombrero	cappelo	καπέλλο
96	**charcuterie,** n.f.	pork butcher's	Fleisch-und Wurstgeschäft	salchicheria	salumeria	αλλαντοπωλείο
127	**chat,** n.m.	cat	Katze	gato	gatto	γάτα
76	**chaud,** adj.	warm	warm	caliente	caldo	θερμός, ζεστός
68	**chaussure,** n.f.	shoe	Schuh	zapato	scarpa	παπούτοι
53	**chemin,** n.m.	way	Weg	camino	strada	δρόμος
132	**cher/chère,** adj.	expensive	teuer	caro/a	caro, a	ακριβός/ή
15	**chercher,** v.t.	look for	suchen	buscar	cercare	ψάχνω
28	**chez,** prep.	(at) home	bei, zu	a/en/de casa de	da	στο σπίτι κάποιου
23	**chien/ne,** n.	dog	Hund/Hündin	perro/a	cane, cagnetta	σκύλος/α
19	**chiffre,** n.m.	figure	Zahl	número	cifra	αριθμός
72	**choix,** n.m.	choice	Wahl, Auswahl	selección	scelta	εκλογή
87	**chômage,** n.m.	unemployment	Arbeitslosigkeit	paro	disoccupazione	ανεργία
162	**chose,** n.f.	thing	Sache, Ding	cosa	cosa	πράγμα
167	**chouette,** adj.	nice	prima	estupendo	eccezionale	φανταστικό
17	**circuit,** n.m.	circuit	Rundfahrt	circuito	circuito	διαδρομή
65	**circuler,** v.int.	move along	fahren	circular	circolare	κυκλόφορῶ
171	**circulation,** n.f.	traffic	Verkehr	tráfico	traffico	κυκλοφορία
58	**citer,** v.t.	quote	zitieren	citar	citare	αναφέρω
92	**classer,** v.t.	classify	einordnen	clasificar	classificare	ταξινομώ
66	**clef,** n.f.	key	Schlüssel	llave	chiave	κλειδί
50	**coin,** n.m.	corner	Ecke	rincon	angolo	γωνία
87	**colère,** n.f.	anger	Wut	rabia	collera	θυμός
129	**collectionner,** v.t.	collect	sammeln	coleccionar	collezionare	συλλέγω
121	**collier,** n.m.	necklace	Halskette	collar	collana	περιδέραιο
128	**commander,** v.t.	order	befehlen	mandar	comandare	διοικώ
78	**comme,** adv.	like/as	wie	como	come	όπως
18	**commencer,** v.t./int.	begin	anfangen	empezar	cominciare	αρχίζω
8	**comment,** adv.	how	wie	como	come	πώς
23	**commerçant,** n.m.	tradesman	Händler	comerciante	commerciante	έμπορος
39	**comparer,** v.t.	compare	vergleichen	comparar	paragonare	συγκρίνω
152	**compliquer,** v.t.	complicate	schwierig machen	complicar	complicare	περιπλέκω
92	**comprendre,** v.t.	understand	verstehen	comprender	capire	καταλαβαίνω
27	**comptable,** n.	accountant	Buchhalter/in	contable	contabile	λογιστής
15	**compte,** n.m.	account	Konto	cuenta	conto	λογαριασμός
115	**compte-rendu,** n.m.	report	Bericht	reseña/crítica	reso-conto	κριτική
72	**compteur,** n.m.	meter	Zähler	contador	contatore	μετρητής
41	**concierge,** n.	door-keeper	Hausmeister/in	portero/a	portinaio	θυρωρός
128	**conclusion,** n.f.	conclusion	Schlussfolgerung	conclusión	conclusione	συμπέρασμα
135	**concurrent,** n.m.	competitor	Konkurrent	competidor	concorrente	ανταγωνιστής

64	**conducteur,** n.m.	driver	Fahrer	conductor	conducente	οδηγός
137	**conduite,** n.f.	behaviour	Verhalten	conducta	condotta	φέρσιμο
48	**conférence,** n.f.	conference	Konferenz	conferencia	conferenza	συνδιάλεξη
14	**confirmation,** n.f.	confirmation	Zusage	confirmación	conferma	επιβεβαίωση
92	**confiture,** n.f.	jam	Marmelade	mermelada	marmellata	μαρμελάδα
45	**confort,** n.m.	comfort	Komfort	comodidad	comodità	άνεση
23	**connaître,** v.t.	know	kennen	conocer	conoscere	γνωρίζω
68	**conseil,** n.m.	advice	Rat	consejo	consiglio	συμβουλή
59	**conseiller/ère,** n.	adviser	Berater	consejero	consigliere	σύμβουλος
171	**conserver,** v.t.	keep	behalten	conservar	conservare	διατηρώ
139	**considérer,** v.t.	consider	meinen	considerar	considerare	θεωρώ
162	**consigne,** n.f.	order	Anweisung	consigna	consegna	απαγόρευση
134	**consommer,** v.t.	consume	verbrauchen	consumir	consumare	καταλώνω
139	**construire,** v.t.	build	bauen, aufbauen	construir	costruire	χτίζω
93	**contenir,** v.t.	contain	beinhalten	contener	contenere	περιέχω
83	**content,** adj.	pleased	zufrieden, froh	contento	contento	ευχαριστημένος
138	**contrat,** n.m.	contract	Vertrag	contrato	contratto	συμβόλαιο
36	**contre,** prep.	against	gegen	contra	contro	εναντίον, επί
120	**contribuer,** v.int.	contribute	beitragen	contribuir	contribuire	συνεισφέρω
14	**contrôle,** n.m.	checking	Kontrolle	verificación	controllo	έλεγχος
148	**convenir,** v.int.	suit	recht sein	convenir	convenire	ταιριάζω
166	**copain/copine,** n.	pal	Freund/in	amigo/a	amico, a	φιλαράκος
92	**corps,** n.m.	body	Körper	cuerpo	corpo	σώμα
115	**corriger,** v.t.	correct	korrigieren	corregir	corregere	διορθώνω
162	**cortège,** n.m.	procession	Zug	cortejo	corteo	παρέλαση
93	**côte/côtelette,** n.f.	chop	Kotelett	chuleta	cotoletta	παΐδι, πλευρό
23	**à côté,** loc.	nearby	in der Nähe, neben	al lado	di fianco	δίπλα
16	**cotisation,** n.f.	subscription	Beitragszahlung	cuota	quota	εισφορά
78	**(être) couché,** v.int.	be lying	liegen	estar acostado	stare coricato	είμαι ξαπλωμένος
59	**couleur,** n.f.	colour	Farbe	color	colore	χρώμα
95	**coupe,** n.f.	glass	Glas	copa	coppa	ποτήρι
97	**couper,** v.t.	cut	schneiden	cortar	tagliare	κόβω
162	**courage,** n.m.	courage	Mut	valor	coraggio	θάρρος
73	**courant,** n.m.	electric power	elektrischer Strom	corriente	corrente	ρεύμα
114	**courrier,** n.m.	post	Post	correo	posta	ταχυδρομείο
31	**course,** n.f.	race	Rennen	carrera	corsa	αγώνας
68	**court,** adj.	short	kurz	corto	corto	κοντός, βραχύς
22	**cousin,** n.m.	cousin	Kusin	primo	cugino	ξάδελφος
146	**coûter,** v.int.	cost	kosten	costar	costare	στοιχίζω
120	**couture,** n.f.	women's fashions	Mode	costura	moda	ραπτική
121	**couvent,** n.m.	convent	Kloster	convento	convento	μοναστήρι
96	**couverture,** n.f.	blanket	Decke	manta	coperta	κουβέρτα
120	**créer,** v.t.	create	schaffen	crear	creare	δημιουργώ
104	**crêpe,** n.f.	pancake	Pfannkuchen	crepe	crêpe	τηγανίτα
16	**croire,** v.t.	believe	glauben	creer	credere	πιστεύω
68	**cuir,** n.m.	leather	Leder	cuero	cuoio	δέρμα
45	**cuisine,** n.f.	kitchen	Küche	cocina	cucina	κουζίνα
130	**curriculum vitae,** n.m. c.v.		Lebenslauf	currículum vitae	curriculum vitae	αυτοβιογραφία

D

156	**danger,** n.m.	danger	Gefahr	peligro	pericolo	κίνδυνος
12	**dans,** prep.	in/into	in	en	in	μέσα
32	**danse,** n.f.	dance	Tanz	baile	danza	χορός
8	**date,** n.f.	date	Datum	fecha	data	ημερομηνία
129	**dauphin,** n.m.	dolphin	Delphin	delfín	delfino	δελφίνι
36	**debout,** adv.	standing	stehend	de pie	in piedi	όρθιος
152	**se débrouiller,** v.pr.	manage	zurechtkommen	arreglárselas	cavarsela	τα καταφέρνω
27	**débutant,** n.m.	beginner	Anfänger	principiante	principiante	αρχάριος
78	**décalage,** n.m.	difference	Verschiebung	diferencia	differenza	ανακολουθία
84	**déception,** n.f.	disappointment	Enttäuschung	decepción	delusione	απογοήτευση
139	**décider,** v.t.	decide	entscheiden	decidir	decidere	αποφασίζω
17	**découverte,** n.f.	discovery	Entdeckung	descubrimiento	scoperta	ανακάλυψη

167	**déçu,** adj.	disappointed	enttäuscht	decepcionado	deluso	απογοητευμένος
90	**défendre,** v.t.	forbid	verbieten	prohibir	vietare	απαγορεύω
162	**déjà,** adv.	already	schon	ya	già	ήδη
78	**déjeuner,** n.m.	lunch	Mittagessen	almuerzo	pranzo	μεσημεριανό
83	**demain,** adv.	tomorrow	morgen	mañana	domani	αύριο
17	**demander,** v.t.	ask for	bitten	pedir	chiedere	ζητώ
41	**déménageur,** n.m.	removal man	Möbeltransporteur	mozo de mudanzas	addetto ai traslochi	μετακομιστής
81	**demi,** adj.	half	halb	medio/a	mezzo	μισός
162	**demi-tour,** n.m.	U-turn	Kehrtwendung	media vuelta	mezzo giro	στροφή 180°
110	**démonter,** v.t.	take off	abbauen	sacar	smontare	αποσυναρμολογώ
24	**dentiste,** n.m.	dentist	Zahnarzt	dentista	dentista	οδοντογιατρός
98	**départ,** n.m.	departure	Abfahrt	salida	partenza	αναχώρηση
110	**dépasser,** v.t.	overtake	überschreiten, überholen	pasar	sorpassare	προσπερνώ
162	**se dépêcher,** v.pr.	hurry	sich beeilen	apresurarse	sbrigarsi	βιάζομαι
140	**dépenser,** v.t.	spend	ausgeben	gastar	spendere	ξοδεύω
162	**se dérouler,** v.pr.	take place	stattfinden	tener lugar	svolgersi	εκτυλίσσομαι
37	**derrière,** prep. adv.	behind	hinter, dahinter	detrás de	dietro	πίσω
162	**dès,** prep.	from	von... an	desde	da	από (αφετηρία)
52	**descendre,** v.t.	go down	hinuntergehen, -fahren	bajar	scendere	κατεβαίνω
114	**désespéré,** adj.	desperate	verzweifelt	desesperado	disperato	απελπισμένος
55	**désolé(e) !**	sorry !	tut mir leid !	¡lo siento !	mi dispiace !	λυπάμαι
102	**dessert,** n.m.	dessert	Nachtisch	postre	dessert	επιδόρπιο
48	**dessinateur,** n.m.	draughtsman	Zeichner, Graphiker	dibujante	disegnatore	σχεδιαστής
36	**au-dessus,** prep. adv.	over, above	über, darüber	encima, arriba	su, sopra	από πάνω
115	**destiner,** v.t.	intend	bestimmen für	destinar	destinare	προορίζω
148	**détruire,** v.t.	destroy	zerstören	destruir	distruggere	καταστρέφω
36	**devant,** prep. adv.	in front of	vor, davor	delante	davanti a	μπροστά
98	**diététique,** n.f.	dietary	Diätetik	dietética	dietetica	διαιτητική
78	**différence,** n.f.	difference	Unterschied	diferencia	differenza	διαφορά
27	**difficile,** adj.	difficult	schwierig	difícil	difficile	δύσκολος
92	**dîner,** n.m.	dinner	Abendessen	cena	cena	δείπνο
23	**dire,** v.t.	say	sagen	decir	dire	λέω
157	**dirigeant,** n.m.	leader	Leiter	dirigente	dirigente	διοικητής
162	**se diriger,** v.pr.	make for	zugehen auf	dirigirse	dirigersi	κατευθύνομαι
73	**distance,** n.f.	distance	Entfernung	distancia	distanza	απόσταση
171	**distinct,** adj.	distinct	verschieden	distinto	distinto	ξεχωριστός
16	**distingué,** adj.	distinguished	vornehm	distinguido	distinto	διακεκριμένος
171	**diversité,** n.f.	variety	Verschiedenheit	variedad	diversità	ποικιλία
8	**divorcé,** adj.	divorced	geschieden	divorciado	divorziato	διαζευγμένος
84	**dommage !**	what a pity !	schade !	lástima	peccato !	κρίμα!!
81	**donc,** conj.	therefore	also	pues, por locual	dunque	λοιπόν
16	**donner,** v.t.	give	geben	dar	dare	δίνω
121	**doré,** adj.	golden	golden	dorado	dorato	χρυσός
78	**dormir,** v.int.	sleep	schlafen	dormir	dormire	κοιμάμαι
36	**dossier,** n.m.	file	Akte	carpeta	dossier	φάκελος
64	**doubler,** v.t.	overtake	überholen	adelantar	sorpassare	προσπερνώ
109	**doute,** n.m.	doubt	Zweifel	duda	dubbio	αμφιβολία
23	**droite,** n.f.	right	rechte Seite	derecha	destra	δεξιά
54	**drôlement,** adv.	awfully	gewaltig, enorm	tremendamente	stranamente	φοβερά
96	**duvet,** n.m.	sleeping bag	Schlafsack	saco de dormir	sacco a pelo	υπνόσακκος

E

92	**eau,** n.f.	water	Wasser	agua	acqua	νερό
114	**éclat,** n.m.	brio	Glanz	relieve	brillo	λάμψη
134	**économique,** adj.	economic/al	wirtschaftlich	económico/a	economico	οικονομικός
74	**écouteur,** n.m.	earphones	Ohrhörer	auricular	auricolare	ακουστικά
15	**écrire,** v.t.	write	schreiben	escribir	scrivere	γράφω
23	**écrivain,** n.m.	writer	Schriftsteller	escritor/a	scrittore	συγγραφέας
148	**éducation,** n.f.	education	Erziehung	educación	educazione	εκπαίδευση
97	**effort,** n.m.	effort	Anstrengung	esfuerzo	sforzo	προσπάθεια
51	**égalité,** n.f.	equality	Gleichheit	igualdad	uguaglianza	ισότητα
52	**église,** n.f.	church	Kirche	iglesia	chiesa	εκκλησία
72	**éjecter,** v.t.	eject	ausstossen	sacar	espellere	βγάζω
171	**élection,** n.f.	election	Wahl	elección	elezione	εκλογή
135	**élevé,** adj.	high	hoch	alto	elevato	υψηλός

73	émission, n.f.	programme	Sendung	programa	programma	εκπομπή
114	émotion, n.f.	emotion	Gemütsbewegung	emoción	emozione	συγκίνηση
162	empêcher, v.t.	prevent	verhindern	impedir	impedire	εμποδίζω
69	emploi, n.m.	job	Arbeitsstelle	empleo	impiego	επάγγελμα
72	emploi du temps, n.m.	time-table	Stundenplan	horario	orario	πρόγραμμα
15	employé, n.m.	employee	Angestellter	empleado	impiegato	μπάλληλος
96	emporter, v.t.	take	mitnehmen	llevarse	portare	μεταφέρω
28	enchanté, adj.	pleased	erfreut	encantado	piacere !	πολύ ευχαριστημένος
26	encore, adv.	still, again	noch	todavía, de nuevo	ancora	ακόμα
64	endroit, n.m.	place	Ort	sitio	posto	τοποθεσία
22	enfant, n.m.	child	Kind	niño	bambino	παιδί
114	enfermer, v.t.	shut up	einschliessen	encerrar	rinchiudere	κλείνω
98	enfin, adv.	at last	endlich	por fín, por último	infine	επιτέλους
127	s'enfuir, v.pr.	run away	fliehen	escaparse	fuggire	δραπετεύω
72	enregistrer, v.t.	record	aufnehmen	grabar	registrare	μαγνητοφωνώ
162	ensemble, adv.	together	zusammen	juntos/as	insieme	μαζί
89	ensuite, adv.	then	dann	despues	poi	έπειτα
59	entier, adj.	whole	ganz	entero	intero	ολόκληρο
23	entre, prep.	between	zwischen	entre	tra, fra	ανάμεσα
138	entreprise, n.f.	firm	Unternehmen	empresa	ditta	επιχείρηση
37	entrer, v.int.	go in	eintreten	entrar	entrare	περίπου
93	environ, adv.	about	ungefähr	aproximadamente	circa	μπαίνω
143	envisager, v.t.	consider	ins Auge fassen	considerar	considerare	εξετάζω
16	envoyer, v.t.	send	schicken, senden	mandar	spedire	στέλνω
23	épouser, v.t.	marry	heiraten	casarse con	sposarsi con	παντρεύομαι
156	épuisement, n.m.	exhaustion	Erschöpfung	agotamiento	esaurimento	εξάντληση
93	équilibré, adj.	stable	ausgeglichen	equilibrado	equilibrato	ισορροπημένος
129	équiper, v.t.	equip	ausstatten	equipar	attrezzare	εξοπλίζω
18	erreur, n.f.	mistake	Irrtum	error	sbaglio	λάθος
40	escalier, n.m.	staircase	Treppenhaus	escalera	scala	σκάλα
149	espèce, n.f.	species	Spezies	especie	specie	είδος
15	espérer, v.t.	hope	hoffen	esperar	sperare	ελπίζω
86	essai, n.m.	test/try	Test	prueba	prova	δοκιμή
134	essence, n.f.	petrol	Benzin	gasolina	benzina	βενζίνη
40	étage, n.m.	floor	Etage	piso	piano	όροφος
37	étagère, n.f.	shelf	Regal	estantería	scaffale	εταζέρα
8	état civil, loc.	civil status	Personenstand	estado civil	stato civile	πιστοποιητικό γεννήσεως
17	été, n.m.	summer	Sommer	verano	estate	καλοκαίρι
104	étoile, n.f.	star	Stern	estrella	stella	αστέρι
166	étonnement, n.m.	astonishment	Erstaunen	asombro	stupore	έκπληξη
90	étranger/ère, adj.	foreign	ausländisch	extranjero/a	straniero, a	ξένος
59	étroit, adj.	narrow	eng	estrecho	stretto	στενός
78	étude, n.f.	study	Studie	estudio	studio	μελέτη
162	événement, n.m.	event	Ereignis	suceso	fatto	γεγονός
153	exactement, adv.	exactly	genau	exactamente	proprio così	ακριβώς
139	exagérer, v.t.	exaggerate	übertreiben	exagerar	esagerare	υπερβάλλω
102	excellent, adj.	excellent	ausgezeichnet	excelente	eccelente	έξοχο
14	s'excuser, v.pr.	apologize	sich entschuldigen	excusarse	scusarsi	ζητώ συγγνώμη
128	exemplaire, adj.	exemplary	vorbildlich	ejemplar	esemplare	παραδειγματικὸς
121	exemple, n.m.	example	Beispiel	ejemplo	esempio	παράδειγμα
42	expliquer, v.t.	explain	erklären	explicar	spiegare	εξηγώ
128	explorateur, n.m.	explorer	Forschungsreisender	explorador	esploratore	εξερευνητής
118	exposition, n.f.	exhibition	Ausstellung	exposición	mostra	έκθεση
16	expression, n.f.	expression	Ausdruck	expresión	espressione	έκφραση
58	extrait, n.m.	extract	Auszug	extracto	estratto	απόσπασμα

F

50	en face de, prep.	in front of	gegenüber	frente a	di fronte a	απέναντι
109	se fâcher, v.pr.	get angry	wütend werden	disgustarse	arrabbiarsi	θυμώνω
51	facile, adj.	easy	leicht	facil	facile	εύκολος
69	de façon que, conj.	so that	so dass	de manera que	di modo che	έτσι ώστε
114	faible, adj.	weak	schwach	débil	debole	αδύνατος
93	faim, n.f.	hunger	Hunger	hambre	fame	πείνα
121	en fait, adv.	in fact	tatsächlich	en realidad	in effetti	στην πραγματικότητα

120	**fameux/se,** adj.	famous	berühmt	famoso/a	famoso, a	διάσημος
69	**fantaisiste,** adj.	shallow	wirklichkeitsfremd	fantoche	estroso	ελαφρόμυαλος
92	**farine,** n.f.	flour	Mehl	harina	farina	αλεύρι
125	**fatigué,** adj.	tired	müde	cansado	stanco	κουρασμένος
36	**fauteuil,** n.m.	armchair	Sessel	sillón	poltrona	πολυθρόνα
22	**femme,** n.f.	wife	Frau	mujer	donna, moglie	γυναίκα
36	**fenêtre,** n.f.	window	Fenster	ventana	finestra	παράθυρο
76	**férié,** adj.	holiday	Feier -	feriado	festivo	μη εργάσιμος
109	**ferme,** n.f.	farm	Bauernhof	granja	fattoria	αγρόκτημα
110	**fermier,** n.m.	farmer	Bauer	granjero	contadino	αγρότης
59	**fête,** n.f.	feast	Fest	fiesta	festa	γιορτή
55	**feu,** n.m.	fire	Feuer	fuego	fuoco	φωτιά
10	**fiche,** n.f.	form/card	Zettel	papeleta	scheda	δελτίο
8	**fils/fille,** n.	son/daughter	Sohn/Tochter	hijo/hija	figlio, figlia	κόρη/γιός
111	**fin,** n.f.	end	Ende	fín	fine	τέλος
59	**fleur,** n.f.	flower	Blume	flor	fiore	λουλούδι
58	**fleuve,·**n.m.	river	Fluss	río	fiume	ποταμός
81	**fois,** n.f.	time	Mal	vez	volta	φορά
90	**fonctionner,** v.int.	work/function	funktionieren	funcionar	funzionare	λειτουργώ
128	**fond,** n.m.	bottom	Grund	fondo	fondo	πυθμένας
123	**fonder,** v.t.	found	gründen	fundar	fondare	ιδρύω
157	**forêt,** n.f.	forest	Wald	selva	foresta	δάσος
69	**formation,** n.f.	training	Ausbildung	formación	formazione	εκπαιδεύση
120	**forme,** n.f.	shape	Form	forma	forma	σχήμα
151	**fort/e,** adj.	strong	stark	fuerte	forte	δυνατός
37	**fou/folle,** adj.	mad	verrückt	loco/a	pazzo, a	τρελός/η/ό
86	**franc,** n.m.	franc	Franc, Franke	franco	franco	φράγκο
162	**frapper,** v.t.	hit/strike	schlagen	golpear	picchiare	χτυπώ
51	**fraternité,** n.f.	brotherhood	Brüderlichkeit	fraternidad	fratellanza	αδελφοσύνη
22	**frère,** n.m.	brother	Bruder	hermano	fratello	αδελφός
92	**frite,** n.f.	chips	Pommes frites	patatas fritas	patatine fritte	πατάτες τηγανιτές
59	**froid,** adj.	cold	kalt	frío	freddo	κρύος-α-ο
92	**fromage,** n.m.	cheese	Käse	queso	formaggio	τυρί
64	**fumer,** v.t./int.	smoke	rauchen	fumar	fumare	καπνίζω

G

97	**gare,** n.f.	station	Bahnhof	estación	stazione	σταθμός
42	**garer,** v.t.	park	parken	aparcar	posteggiare	παρκάρω
93	**gâteau,** n.m.	cake	Kuchen	pastel	dolce	γλύκισμα
36	**gauche,** n.f.	left	linke Seite	izquierda	sinistra	αριστερά
118	**général,** adj.	general	allgemein	general	generale	γενικό
125	**genou/x,** n.m.	knee	Knie	rodilla	ginocchio	γόνατο/α
51	**gens,** n.	people	Leute	gente	gente	άνθρωποι
55	**gentil/le,** adj.	nice/kind	nett	atento	gentile	ευχάριστος, ευγενής
93	**gigot,** n.m.	leg of lamb	Lammkeule	pierna de cordero	cosciotto (d'agnello)	μπούτι (προβάτου)
121	**grâce à,** prép.	thanks to	dank	gracias a	grazie a	χάρη σέ
23	**grands-parents,** n.m.	grandparents	Grosseltern	abuelos	nonni	παπούδες-γιαγιάδες
110	**grange,** n.f.	barn	Scheune	troje	grangia	αχυρώνας
139	**gratuit,** adj.	free	kostenlos	gratuito	gratuito	δωρεάν
55	**grève,** n.f.	strike	Streik	huelga	sciopero	απεργία
110	**grimper,** v.int.	climb	klettern	trepar	arrampicarsi	σκαρφαλώνω
149	**guérir,** v.t.	cure	heilen	curar	guarire	γιατρεύω
121	**guerre,** n.f.	war	Krieg	guerra	guerra	πόλεμος
82	**guichet,** n.m.	counter	Schalter	taquilla	sportello	θυρίδα
58	**guide,** n.m.	guide	Führer	guia	guida	οδηγός

H

68	**habiller,** v.t.	dress	anziehen	vestir	vestire	ντύνω
12	**habiter,** v.int.	live	wohnen	vivir	abitare	κατοικώ
98	**habitude,** n.f.	habit	Gewohnheit	costumbre	abitudine	συνήθεια
92	**haricot,** n.m.	bean	Bohne	judía	fagiolo	φασόλι

68	**haut,** adj.	high	hoch	alto	alto	ψηλός
74	**haut-parleur,** n.m.	loudspeaker	Lautsprecher	altavoz	alto parlante	ηχείο
132	**hebdomadaire,** adj.	weekly	wöchentlich	semanal	settimanale	εβδομαδιαίος
42	**hésiter,** v.int.	hesitate	zögern	vacilar	esitare	διστάζω
28	**heureux,** adj.	happy	glücklich	feliz	felice	ευτυχής
27	**histoire,** n.f.	story	Geschichte	historia	storia	ιστορία
76	**hiver,** n.m.	winter	Winter	invierno	inverno	χειμώνας
23	**homme,** n.m.	man	Mann	hombre	uomo	άνδρας
65	**hôpital/aux,** n.m.	hospital	Krankenhaus	hospital	ospedale	νοσοκομείο
78	**horaire,** n.m.	time-table	Zeitplan	horario	orario	ωράριο
72	**horloge,** n.f.	clock	Uhr	reloj	orologio	ρολόι
102	**hors-d'œuvre,** n.m.	starter	Vorspeise	entremeses	antipasto	ορεκτικό
114	**hostile,** adj.	hostile	feindlich	hostil	ostile	εχθρικός
24	**hôtesse,** n.f.	hostess	Stewardess	azafata	hostess	αεροσυνοδός

I

18	**ici,** adv.	here	hier	aqui	qui	εδώ
110	**idiot,** adj.	stupid	dumm	idiota	idiota	ηλίθιος
122	**immédiat,** adj.	immediate	sofortig	inmediato	immediato	άμεσος
96	**imperméable,** n.m.	raincoat	Regenmantel	impermeable	impermeabile	αδιάβροχο
59	**imposant,** adj.	imposing	eindrucksvoll	imponente	imponente	επιβλητικό
121	**imposer,** v.t.	impose	auferlegen	imponer	imporre	επιβάλλω
125	**impossible,** adj.	impossible	unmöglich	imposible	impossibile	αδύνατος
162	**impression,** n.f.	impression	Eindruck	impresión	impressione	εντύπωση
134	**inconvénient,** n.m.	disadvantage	Nachteil	inconveniente	inconveniente	μειονέκτημα
152	**indépendant,** adj.	independent	unabhängig	independiente	indipendente	ανεξάρτητος
40	**indifférence,** n.f.	indifference	Gleichgültigkeit	indiferencia	indifferenza	αδιαφορία
142	**indiquer,** v.t.	indicate	angeben	indicar	indicare	προσδιοριζω
157	**indispensable,** adj.	essential	unerlässlich	indispensable	indispensabile	απαραίτητος
157	**industriel,** n.m.	manufacturer	Industrieller	industrial	industriale	βιομηχανικός
149	**inégalité,** n.f.	inequality	Ungleichheit	desigualdad	disuguaglianza	ανισότητα
24	**infirmier/ière,** n.	nurse	Krankenpfleger, -schwester	enfermero/a	infermiere, a	νοσοκόμος-α
171	**influence,** n.f.	influence	Einfluss	influencia	influenza	επιρροή
118	**s'informer,** v.pr.	inquire	sich informieren	informarse	informarsi	πληροφορούμαι
151	**injustice,** n.f.	injustice	Ungerechtigkeit	injusticia	ingiustizia	αδικία
153	**inquiet,** adj.	worried	beunruhigt	inquieto	inquieto	ανήσυχος
166	**inquiétude,** n.f.	anxiety	Besorgnis	inquietud	apprensione	ανησυχία
16	**s'inscrire,** v.pr.	join	sich anmelden	inscribirse	iscriversi	εγγράφομαι
27	**instant,** n.m.	moment	Augenblick	instante/momento	momento	στιγμή
171	**instituer,** v.t.	institute	einsetzen	instituir	istituire	θεσπίζω
82	**intention,** n.f.	intention	Absicht	intención	intenzione	πρόθεση
64	**interdiction,** n.f.	prohibition	Verbot	prohibición	proibizione	απαγόρευση
96	**s'intéresser,** v.pr.	be interested	sich interessieren	interesarse	interessarsi	ενδιαφέρομαι
107	**interprétation,** n.f.	interpretation	Darstellung	interpretación	interpretazione	ερμηνεία
125	**interrogateur,** adj.	questioning	fragend	interrogante	interrogativo	ερωτηματικός
90	**introduire,** v.t.	introduce	einführen	introducir	introdurre	εισάγω
128	**inventer,** v.t.	invent	erfinden	inventar	inventare	εφευρίσκω
42	**inviter,** v.t.	invite	einladen	invitar	invitare	προσκαλώ
148	**irréalisable,** adj.	unrealizable	unrealisierbar	irrealizable	irrealizzabile	απραγματοποίητο
40	**irritation,** n.f.	annoyance	Verärgerung	irritación	irritazione	ερεθισμός
157	**isolé,** adj.	isolated	isoliert	aislado	isolato	απομονωμένος
162	**issue,** n.f.	exit	Ausgang	salida	uscita	έξοδος
59	**itinéraire,** n.m.	itinerary	Strecke	itinerario	itinerario	δρομολόγιο

J

114	**jaloux,** adj.	jealous	neidisch	celoso	geloso	ζηλιάρης
97	**jambe,** n.f.	leg	Bein	pierna	gamba	γάμπα
87	**jambon,** n.m.	ham	Schinken	jamón	prosciutto	ζαμπόν
52	**jardin,** n.m.	garden	Garten	jardín	giardino	κήπος
8	**jeune,** adj.	young	jung	joven	giovane	νέος

59	**joie,** n.f.	joy	Freude	alegría	gioia	χαρά
112	**joli,** adj.	pretty	hübsch	lindo	grazioso	χαριτωμένος
30	**joueur,** n.m.	player	Spieler	jugador	giocatore	παίκτης
116	**journal,** n.m.	newspaper	Zeitung	periódico	giornale	εφημερίδα
68	**jupe,** n.f.	skirt	Rock	falda	gonna	φούστα
51	**juste,** adv.	just	gerade	apenas	appena	μόλις
138	**justifier,** v.t.	justify	rechtfertigen	justificar	giustificare	δικαιολογώ

K

| 118 | **kiosque,** n.m. | kiosk | Kiosk | quiosco | chiosco | περίπτερο |
| 65 | **klaxonner,** v.int. | hoot | hupen | tocar el claxon | suonare il clacson | κορνάρω |

L

55	**là,** adv.	there	dort	ahí	lì	εκεί
162	**laisser,** v.t.	leave	lassen	dejar	lasciare	αφήνω
92	**lait,** n.m.	milk	Milch	leche	latte	γάλα
121	**lancement,** n.m.	launch	Einführung	lanzamiento	lancio	λανσάρισμα
120	**lancer,** v.t.	launch	einführen	lanzar	lanciare	λανσάρω
25	**langue,** n.f.	language	Sprache	lengua	lingua	γλώσσα
114	**lecteur,** n.m.	reader	Leser	lector	lettore	αναγνώστης
86	**léger,** adj.	light	leicht	ligero	leggero	ελαφρός
92	**légume,** n.m.	vegetable	Gemüse	verdura	verdura	λαχανικό
162	**lendemain,** n.m.	day after	folgender Tag	día siguiente	l'indomani	επόμενη ημέρα
33	**se lever,** v.pr.	get/stand up	aufstehen	levantarse	alzarsi	σηκώνομαι
51	**liberté,** n.f.	freedom	Freiheit	libertad	libertà	ελευθερία
171	**libre-échange,** n.m.	free-trade	Freihandel	librecambio	libero-scambio	ελεύθερη συναλλαγή
8	**lieu,** n.m.	place	Ort	lugar	luogo	τόπος
87	**ligne,** n.f.	figure	Figur	línea	linea	γραμμή
149	**limiter,** v.t.	limit	begrenzen	limitar	limitare	περιορίζω
39	**lit,** n.m.	bed	Bett	cama	letto	κρεββάτι
10	**livre,** n.m.	book	Buch	libro	libro	βιβλίο
95	**livre,** n.f.	pound	Pfund	libra	libbra	λίβρα
40	**livreur,** n.m.	delivery man	Lieferant	repartidor	fattorino	διανομέας
41	**locataire,** n.m.	tenant	Mieter	inquilino	inquilino	ενοικιαστής
118	**location,** n.f.	rent	Miete	alquiler	affitto	ενοικίαση
40	**loge,** n.f.	lodge	Loge	portería	loggia	σπίτι θυρωρού
50	**loin,** adv.	far (away)	weit	lejos	lontano	μακριά
114	**lointain,** adj.	faraway	weit entfernt	lejano	lontano	μακρινός
48	**long,** adj.	long	lang	largo	lungo	μακρύς
52	**longer,** v.t.	go along	entlanggehen	ir a lo largo de	costeggiare	διασχίζω
45	**louer,** v.t.	let, rent	ver/mieten	alquilar	affittare	νοικιάζω
97	**lourd,** adj.	heavy	schwer	pesado	pesante	βαρύς
73	**lumière,** n.f.	light	Licht	luz	luce	φως
114	**lutte,** n.f.	struggle	Kampf	lucha	lotta	πάλη
121	**luxe,** n.m.	luxury	Luxus	lujo	lusso	πολυτέλεια

M

50	**magasin,** n.m.	shop	Geschäft	almacén	negozio	μαγαζί
57	**main,** n.f.	hand	Hand	mano	mano	χέρι
52	**maintenant,** adv.	now	jetzt	ahora	ora, adesso	τώρα
139	**majeur,** adj.	of age	volljährig	mayor de edad	maggiore	ενήλικος
101	**majorité,** n.f.	majority	Mehrheit	mayoría	maggioranza	πλειοψηφία
50	**mairie,** n.f.	town hall	Rathaus	ayuntamiento	municipio	δημαρχία
9	**mais,** conj.	but	aber	pero, sino	ma	όμως

120	**maison de couture,** n.f.	fashion house	Modehaus	casa de alta costura	sartoria	οίκος ραπτικής
100	**maîtresse,** n.f.	mistress	Geliebte	amante	amante	ερωμένη
9	**mal,** adv.	badly	schlecht	mal	male	κακώς
149	**maladie,** n.f.	illness	Krankheit	enfermedad	malattia	ασθένεια
79	**manger,** v.t.	eat	essen	comer	mangiare	τρώω
162	**manifester,** v.t.	demonstrate	demonstrieren	manifestar	manifestare	διαδηλώνω
90	**manière,** n.f.	way	Art und Weise	manera	maniera	τρόπος
86	**mannequin,** n.m.	model	Mannequin	maniquí/modelo	modello	μαννεκέν
86	**se maquiller,** v.pr.	make up	sich schminken	maquillarse	truccarsi	μακιγιάρομαι
171	**marchandise,** n.f.	merchandise	Ware	mercancía	mercanzia	εμπόρευμα
59	**marcher,** v.int.	walk	laufen	andar	camminare	περνατώ
22	**mari,** n.m.	husband	Ehemann	marido	marito	σύζυγος
23	**mariage,** n.m.	wedding	Hochzeit	casamiento	matrimonio	γάμος
8	**marié,** adj.	married	verheiratet	casado	sposato	παντρεμένος
129	**marine,** n.f.	navy	Marine	marina	marina	ναυτικό
73	**matériel,** n.m.	equipment	Material	material	materiale	εργαλεία
25	**maternelle,** adj.f.	mother (tongue)	mütterlich	materna	materna	μητρικός
37	**matin,** n.m.	morning	Morgen	mañana	mattino	πρωί
87	**mauvais,** adj.	bad	schlecht	malo	cattivo	κακός
24	**médecin,** n.m.	doctor	Arzt	médico	medico	γιατρός
115	**médiocre,** adj.	poor	mittelmässig	mediocre	mediocre	μέτριος
136	**meilleur,** adj.	better	besser	mejor	migliore	καλύτερος
128	**membre,** n.m.	member	Mitglied	miembro	membro	μέλος
50	**même,** adj.	same	derselbe	mismo	stesso	ίδιος
50	**même,** adv.	even	sogar	hasta, incluso	anche	ακόμη
160	**menacer,** v.t.	threaten	bedrohen	amenazar	minacciare	απειλώ
128	**mer,** n.f.	sea	Meer	mar	mare	θάλασσα
8	**merci,** excl.	thank you	danke	gracias	grazie	ευχαριστώ
102	**mère,** n.f.	mother	Mutter	madre	madre	μητέρα
149	**mérite,** n.m.	merit	Verdienst	mérito	merito	αξία
157	**mesure,** n.f.	measurement	Massnahme, Mass	medida	misura	διάσταση
86	**métier,** n.m.	profession	Beruf	profesión	professione	επάγγελμα
54	**métro,** n.m.	tube	U-Bahn	metro	metro	μετρό
87	**metteur-en-scène,** n.m.	director	Regisseur	director	regista	σκηνοθέτης
38	**mettre,** v.t.	put	stellen, legen	poner	mettere	βάζω
36	**meuble,** n.m.	piece of furniture	Möbelstück	mueble	mobile	έπιπλο
78	**midi,** n.m.	midday	Mittag	mediodía	mezzogiorno	μεσημέρι
36	**au milieu de,**	in the middle of	in der Mitte	en (el) medio	in mezzo	στη μέση
87	**mine,** n.f.	look	Gesichtsausdruck	cara	aspetto	όψη
162	**millier,** n.m.	thousand	Tausend	millar	migliaio	χιλιάδα
79	**minuit,** n.m.	midnight	Mitternacht	medianoche	mezzanotte	μεσάνυχτα
72	**mise en marche.**	start	Inbetriebsetzung	puesta en marcha	messa in moto	εκκίνηση
81	**moins,** adv.	less	weniger	menos	meno	λιγώτερο
59	**mois,** n.m.	month	Monat	mes	mese	μήνας
120	**mondain,** adj.	fashionable	mondän	mundano	mondano	κοσμικός
31	**monde,** n.m.	world	Welt	mundo	mondo	κόσμος
8	**monsieur,** n.m.	Mr... sir	Herr	señor	signore	κύριος
40	**monter,** v.int.	go up	hinaufgehen, -fahren	subir	salire	ανεβαίνω
92	**morceau,** n.m.	bit	Stück	pedazo	pezzo	κομμάτι
120	**mort,** adj.	dead	tot	muerto	morto	πεθαμένος
106	**motard,** n.m.	motorcycle policeman	Polizist mit Motorrad	motorista de la policia	poliziotto motociclista	αστυν. μοτοσυκλετιστής
92	**mouton,** n.m.	sheep	Schaf	oveja	pecora	πρόββατο
157	**mouvement,** n.m.	movement	Bewegung	movimiento	movimento	κίνηση
101	**moyen,** adj.	average	mittel, mässig	mediano, mediocre	medio	μέτριος
137	**moyen de transport,** n.m.	means of transport	Verkehrsmittel	medio de transporte	mezzo di trasporto	μέσο συγκοινωνίας
36	**mur,** n.m.	wall	Mauer, Wand	pared	muro, parete	τοίχος τειχος

N

8	**naissance,** n.f.	birth	Geburt	nacimiento	nascita	γέννηση
138	**nature,** n.f.	nature	Natur	naturaleza	natura	φύση
97	**naturellement,** adv.	naturally	natürlich	naturalmente	naturalmente	φυσικά
120	**né,** adj.	born	geboren	nacido	nato	γεννημένος
59	**neige,** n.f.	snow	Schnee	nieve	neve	χιόνι
68	**noir,** adj.	black	schwarz	negro	nero	μαύρο

8	**nom,** n.m.	name	Name	nombre	nome	όνομα
18	**nombre,** n.m.	number	Zahl	número	numero	αριθμός
142	**nord,** n.m.	north	Norden	norte	nord	Βορράς
73	**note,** n.f.	memo	Notiz	apunte	appunto	σημείωμα
78	**noter,** v.t.	write down	notieren	anotar	prendere appunti	σημειώνω
157	**nourrir,** v.t.	feed	ernähren	alimentar	nutrire	τρέφω
96	**nourriture,** n.f.	food	Ernährung	alimento	cibo	τροφή
40	**nouveau/elle,** adj.	new	neu	nuevo/a	nuovo, a	καινούργιος/α
78	**nuit,** n.f.	night	Nacht	noche	notte	νύχτα

O

138	**objection,** n.f.	objection	Einwand	objeción	obiezione	αντίρρηση
16	**obligeance,** n.f.	courtesy	Gefälligkeit	cortesía	gentilezza	φιλοφροσύνη
128	**obtenir,** v.t.	obtain	bekommen	obtener	ottenere	κερδίζω, παίρνω
140	**occasion,** n.f.	opportunity	Gelegenheit	ocasión	occasione	ευκαιρία
92	**œuf,** n.m.	egg	Ei	huevo	uovo	αυγό
128	**œuvre,** n.f.	work	Werk	obra	opera	έργο
129	**officier,** n.m.	officer	Offizier	oficial	ufficiale	αξιωματικός
109	**offre,** n.f.	offer	Angebot	oferta	offerta	προσφορά
132	**offrir,** v.t.	offer	anbieten	ofrecer	offrire	προσφέρω
102	**omelette,** n.f.	omelette	Omelett	tortilla	frittata	ομελέτα
23	**oncle,** n.m.	uncle	Onkel	tío	zio	θείος
42	**opinion,** n.f.	opinion	Meinung	opinión	opinione	γνώμη
170	**s'opposer,** v.pr.	oppose	sich widersetzen	oponerse	opporsi	αντιτίθεμαι
92	**orange,** n.f.	orange	Orange	naranja	arancia	πορτοκάλι
42	**ordre,** n.m.	order	Befehl, Ordnung	orden	ordine	τάξη, διαταγή
23	**orphelin,** n.m.	orphan	Waisenkind	huérfano	orfano	ορφανός
13	**où,** adv.	where	wo, wohin	dónde	dove	όπου
14	**ou,** adv.	or	oder	o	o	ή
160	**ours,** n.m.	bear	Bär	oso	orso	αρκούδα
160	**outre-mer,** adj.	overseas	Übersee	ultramar	oltremare	υπερπόντιος
14	**ouvrir,** v.t.	open	öffnen	abrir	aprire	ανοίγω

P

92	**pain,** n.m.	bread	Brot	pan	pane	ψωμί
65	**papier,** n.m.	paper	Papier	papel	carta	χαρτί
82	**paquet,** n.m.	parcel	Paket	paquete	pacco	δέμα, πακέτο
54	**parce que,** conj.	because	weil	porque	perché	διότι
19	**pardon,** loc.	excuse me	Entschuldigung	perdón	scusi	συγγνώμη
22	**parent,** n.m.	parent	Elternteil	padre	genitore	γονέας
25	**parler,** v.int.	speak	sprechen	hablar	parlare	ομιλώ
96	**parole,** n.f.	word	Wort	palabra	parola	λόγος
58	**particularité,** n.f.	particularity	Besonderheit	particularidad	particolarità	ιδιαιτερότητα
45	**particulier,** n.m.	private (person)	Privatperson	particular	privato	ιδιώτης
148	**partir,** v.int.	leave	gehen, abfahren	irse, salir	partire	αναχωρώ
59	**pas,** n.m.	step	Schritt	paso	passo	βήμα
64	**passage clouté,** n.m.	pedestrian crossing	Fussgängerüberweg	paso de peatones	passaggio pedonale	διάβαση πεζών
114	**passion,** n.f.	passion	Leidenschaft	pasión	passione	πάθος
92	**pâte,** n.f.	pasta	Nudel	pasta	pasta	ζυμαρικό
41	**patient,** adj.	patient	geduldig	paciente	paziente	υπομονετικός
104	**pâtisserie,** n.f.	cake shop	Konditorei	pastelería	pasticceria	ζαχαροπλαστείο
139	**patron,** n.m.	boss	Chef	dueño	capo	εργοδότης
162	**pavé,** n.m.	cobblestone	Pflaster (stein)	adoquín	selciato	πλάκα
68	**payer,** v.t.	pay	bezahlen	pagar	pagare	πληρώνω
16	**pays,** n.m.	country	Land	país	paese	χώρα
160	**paysage,** n.m.	landscape	Landschaft	paisaje	paesaggio	τοπίο
130	**PDG,** n.m.	managing director	geschäftsführender Direktor	director general	presidente	γενικός διευθυντής
64	**pelouse,** n.f.	lawn	Rasen	césped	prato	χλόη
164	**pendant,** prep.	during	während	durante	durante	κατά τη διάρκεια
36	**pendule,** n.f.	clock	Pendeluhr	reloj	pendolo	εκκρεμές
124	**pénible,** adj.	hard	mühsam	penoso/a, pesado/a	penoso	επίπονος

97	**penser,** v.int.	think	denken	pensar	pensare	σκέπτομαι
157	**perdre,** v.t.	lose	verlieren	perder	perdere	χάνω
23	**père,** n.m.	father	Vater	padre	padre	πατέρας
64	**permission,** n.f.	permission	Erlaubnis	permiso	permesso	άδεια
23	**personnage,** n.m.	character	Persönlichkeit	personaje	personaggio	πρόσωπο
149	**personnel,** adj.	personal	persönlich	personal	personale	προσωπικό
51	**petit,** adj.	little	klein	pequeño	piccolo	μικρό
151	**peuple,** n.m.	people	Volk	pueblo	popolo	λαός
162	**peur,** n.f.	fear	Angst	miedo	paura	φόβος
81	**peut-être,** adv.	perhaps	vielleicht	quizás	forse	ίσως
23	**photographier,** v.t.	photograph	fotografieren	fotografiar	fotografare	φωτογραφίζω
41	**pièce,** n.f.	room	Zimmer	cuarto	stanza	δωμάτιο
55	**pied,** n.m.	foot	Fuss	pie	piede	πόδι
64	**piéton,** n.m.	pedestrian	Fussgänger	peatón	pedone	πεζός
125	**pire,** adj.	worse	schlechter	peor	peggio	χειρότερος
82	**piscine,** n.f.	swimming pool	Schwimmbad	piscina	piscina	πισίνα
52	**place,** n.f.	square	Platz	plaza	piazza	πλατεία
39	**placer,** v.t.	place/put	stellen, legen	colocar	sistemare	τοποθετώ
120	**plage,** n.f.	beach	Strand	playa	spiaggia	παραλία
84	**plaisanter,** v.int.	joke	scherzen	bromear	scherzare	αστειεύομαι
167	**plaisir,** n.m.	pleasure	Vergnügen	gusto	piacere	ευχαρίστηση
52	**plan,** n.m.	map, plan	Plan	plano	piantina	σχέδιο, χάρτης
149	**plante,** n.f.	plant	Pflanze	planta	pianta	φυτό
93	**plat,** n.m.	dish	Gericht	plato	piatto	πιάτο
162	**plein,** adj.	full	voll	lleno	pieno	γεμάτος
76	**pleuvoir,** v.imp.	rain	regnen	llover	piovere	βρέχει
129	**plonger,** v.t.	dive	tauchen	zambullirse	tuffarsi	βουτώ
115	**plume,** n.f.	feather	Feder	pluma	piuma	φτερό
27	**plus,** adv.	more	mehr	más	più	περισσότερο
114	**plusieurs,** adj.	several	mehrere	varios/as	parecchi	πολλοί
110	**pneu,** n.m.	tyre	Reifen	neumático	pneumatico	λάστιχο ρόδας
92	**poire,** n.f.	pear	Birne	pera	pera	αχλάδι
92	**poisson,** n.m.	fish	Fisch	pescado/pez	pesce	ψάρι
113	**policier,** n.m.	policeman	Polizist	policía	poliziotto	αστυνόμος
156	**pollution,** n.f.	pollution	Umweltverschmutzung	contaminación	inquinamento	μόλυνση
92	**pomme,** n.f.	apple	Apfel	manzana	mela	μήλο
92	**pomme de terre,** n.f.	potato	Kartoffel	patata	patata	πατάτα
53	**pont,** n.m.	bridge	Brücke	puente	ponte	γέφυρα
92	**porc,** n.m.	pork	Schwein	cerdo	maiale	γουρούνι
109	**porte-bagages,** n.m.	carrier	Gepäckträger	portaequipaje	portabagagli	σκάρα
68	**porter,** v.t.	carry	tragen	llevar	portare	κουβαλάω
98	**possibilité,** n.f.	possibility	Möglichkeit	posibilidad	possibilità	πιθανότητα
93	**pot,** n.m.	jar	Topf, Glas	tarro	vasetto	βάζο
92	**poulet,** n.m.	chicken	Hähnchen	pollo	pollo	κοτόπουλο
16	**pour,** prep.	for, to	für	para, por	per	για
148	**pouvoir,** v.aux.	be able to	können	poder	potere	μπορώ
118	**préalable,** adj.	preliminary	vorhergehend	previo/a	preliminare	προκαταρκτικός
32	**préférer,** v.t.	prefer	vorziehen	preferir	preferire	προτιμω
40	**prendre,** v.t.	take	nehmen	tomar	prendere	παίρνω
156	**prendre conscience,** loc.	become aware	sich bewusst werden	darse cuenta de	prender coscienza	συνειδητοποιώ
8	**prénom,** n.m.	first name	Vorname	nombre	nome	μικρό όνομα
26	**présenter,** v.t.	introduce	vorstellen	presentar	presentare	συστήνω
106	**presse,** n.f.	press	Presse	prensa	stampa	τύπος
55	**être pressé,**	be in a hurry	es eilig haben	tener prisa	avere fretta	βιάζομαι
96	**prévoir,** v.t.	foresee	voraussehen	prever	prevedere	προβλέπω
129	**primer,** v.t.	award a prize	auszeichnen	premiar	premiare	πρωτεύω
76	**printemps,** n.m.	spring	Frühling	primavera	primavera	άνοιξη
162	**prison,** n.f.	jail	Gefängnis	cárcel	prigione	φυλακή
46	**prix,** n.m.	price	Preis	precio	prezzo	τιμή
41	**prochain,** adj.	next	nächster	próximo	prossimo	επόμενος
157	**produit,** n.m.	product	Produkt	producto	prodotto	προϊόν
8	**profession,** n.f.	occupation	Beruf	profesión	professione	επάγγελμα
106	**profiter,** v.t.	take advantage	ausnutzen	aprovechar	approfittare	επωφελούμαι
102	**projet,** n.m.	plan	Plan	proyecto	progetto	σχέδιο
142	**prolonger,** v.t.	extend	verlängern	prolongar	prolungare	παρατείνω
59	**promenade,** n.f.	walk	Spaziergang	paseo	passeggiata	περίπατος
83	**se promener,** v.pr.	walk	spazieren gehen	pasearse	passeggiare	κάνω βόλτα
17	**proposer,** v.t.	suggest	vorschlagen	proponer	proporre	προτείνω
114	**prouver,** v.t.	prove	beweisen	probar	provare	αποδείχνω

85	**publicité,** n.f.	advertising	Werbung	publicidad	pubblicità	διαφήμιση
128	**publier,** v.t.	publish	veröffentlichen	publicar	pubblicare	δημοσιεύω
84	**puis,** adv.	then	dann	después, luego	poi	έπειτα
135	**puissance,** n.f.	power	Leistung	potencia	potenza	δύναμη

Q

53	**quai,** n.m.	platform	Bahnsteig	andén	banchina	αποβάθρα
54	**quand,** adv.	when	wenn, als	cuando	quando	όταν
81	**quart,** n.m.	quarter	Viertel	cuarto	quarto	τέταρτο
59	**quartier,** n.m.	area/district	Viertel	barrio	quartiere	συνοικία
27	**quelque,** adj.	some	einige	alguno/a	qualche	κάποιο
114	**quelquefois,** adv.	sometimes	manchmal	a veces	ogni tanto	μερικές φορές
8	**question,** n.f.	question	Frage	pregunta	domanda	ερώτηση
54	**faire la queue,** loc.	queue up	Schlange stehen	hacer cola	fare la coda	κάνω ουρά
8	**qui,** pr.	who	wer	quién	chi	ποιός
79	**quitter,** v.t.	leave/quit	verlassen	dejar, irse	lasciare	εγκαταλείπω
16	**quoi,** pr.	what	was	qué	che	τί

R

72	**raccorder,** v.t.	join/link up	anschliessen	conectar	collegare	συναρμολογώ
54	**raison,** n.f.	reason	Grund	razón	ragione	αιτία
83	**randonnée,** n.f.	ride	Spazierfahrt	vuelta	gita	περίπατος
72	**rapide,** adj.	fast	schnell	rápido/a	veloce	ταχύς
160	**rare,** adj.	rare	selten	escaso/a	raro	σπάνιος
54	**ras-le-bol.**	one's fill	die Nase voll	hasta la coronilla	essere stufo	φτάνει πιά
124	**réagir,** v.int.	react	reagieren	reaccionar	reagire	αντιδρώ
128	**réaliser,** v.t.	realize	realisieren	realizar	realizzare	πραγματοποιώ
162	**récent,** adj.	recent	nicht alt	reciente	recente	πρόσφατος
107	**recevoir,** v.t.	receive	bekommen	recibir	ricevere	παραλαμβάνω
129	**récit,** n.m.	story	Erzählung	relato	storia	αφήγηση
118	**réduction,** n.f.	reduction	Ermässigung	rebaja	riduzione	έκπτωση
73	**réembobiner,** v.t.	rewind	zurückspulen	rebobinar	rimbobinare	ξανατυλίγω
101	**réfléchir,** v.int.	think	nachdenken	pensar	riflettere	σκέπτομαι
40	**refus,** n.m.	refusal	Weigerung	negativa	rifiuto	άρνηση
82	**refuser,** v.t.	turn down	ablehnen	rechazar	rifiutare	αρνούμαι
125	**regard,** n.m.	look/glance	Blick	mirada	sguardo	βλέμμα
93	**régime,** n.m.	diet	Diät	régimen	dieta	δίαιτα
80	**régler,** v.t.	settle	regeln	solucionar	regolare	κανονίζω
16	**remerciement,** n.m.	thanks	Dank	agradecimiento	ringraziamento	ευχαριστία
59	**rempart,** n.m.	rampart	Schutzmauer	muralla	mura	οχύρωμα
10	**remplir,** v.t.	fill in	ausfüllen	rellenar	riempire	συμπληρώνω
59	**rendez-vous,** n.m.	appointment	Termin, Verabredung	cita	appuntamento	ραντεβού
16	**renseignement,** n.m.	information	Auskunft	información	informazioni	πληροφορία
162	**renverser,** v.t.	knock down	umstürzen	derribar	rovesciare	ανατρέπω
110	**réparer,** v.t.	mend/repair	reparieren	reparar	riparare	επισκευάζω
92	**repas,** n.m.	meal	Mahlzeit	comida	pasto	γεύμα
39	**répondre,** v.t.	answer	antworten	contestar	rispondere	απαντώ
166	**réprobation,** n.f.	reprobation	Missbilligung	reprobación	biasimo	αποδοκιμασία
162	**réputation,** n.f.	reputation	Ruf	reputación	reputazione	φήμη
129	**requin,** n.m.	shark	Hai	tiburón	squalo	καρχαρίας
157	**respirable,** adj.	breathable	atembar	respirable	respirabile	αναπνεύσιμος
157	**responsable,** adj.	responsible	verantwortlich	responsable	responsabile	υπεύθυνος
157	**ressource,** n.f.	resources	Ressource	recurso	risorsa	πόρος
170	**résultat,** n.m.	result	Ergebnis	resultado	risultato	αποτέλεσμα
113	**résumé,** n.m.	summary	Zusammenfassung	resumen	riassunto	περίληψη
73	**retour,** n.m.	return	Rückkehr	vuelta	ritorno	επιστροφή

	French	English	German	Spanish	Italian	Greek
123	**rétrospectif/ve,** adj.	retrospective	zurückblickend	retrospectivo/a	retrospettivo/a	αναδρομικός
96	**réunion,** n.f.	meeting	Treffen	reunión	riunione	συγκέντρωση
171	**se réunir,** v.p.	meet	sich treffen	reunirse	riunirsi	συγκεντρώνομαι
31	**rêve,** n.m.	dream	Traum	sueño	sogno	όνειρο
114	**révélation,** n.f.	revelation	Entdeckung	revelación	rivelazione	αποκάλυψη
52	**revenir,** v.int.	come back	zurückkommen	volver	ritornare	επιστρέφω
14	**au revoir,** loc.	good bye	auf Wiedersehen	hasta la vista	arrivederci	εις το επανιδείν
17	**richesse,** n.f.	wealth	Reichtum	riqueza	ricchezza	πλούτος
39	**rideau,** n.m.	curtain	Vorhang	cortina	tenda	κουρτίνα
86	**rire,** v.int.	laugh	lachen	reir	ridere	γελάω
92	**riz,** n.m.	rice	Reis	arroz	riso	ρύζι
120	**robe,** n.f.	dress	Kleid	vestido	vestito	φόρεμα
114	**rôle,** n.m.	role	Rolle	papel	ruolo	ρόλος
93	**rôti,** n.m.	joint	Braten	asado	arrosto	ψητό
12	**roue,** n.f.	wheel	Rad	rueda	ruota	τροχός
51	**rouge,** adj.	red	rot	rojo/a	rosso	κόκκινος
124	**rouler,** v.int.	ride	fahren	rodar	viaggiare	ταξιδεύω
23	**roux, rousse,** adj.	red-haired	rothaarig	pelirrojo/a	rosso/a	κόκκινομάλλης/α
97	**route,** n.f.	road	Strasse	carretera	strada	δρόμος
12	**rue,** n.f.	street	Strasse	calle	via	οδός

S

	French	English	German	Spanish	Italian	Greek
142	**sable,** n.m.	sand	Sand	arena	sabbia	άμμος
68	**sac,** n.m.	bag	Tasche, Sack	bolso	borsa, sacco	τσάντα
96	**sac de couchage,** n.m.	sleeping bag	Schlafsack	saco de dormir	sacco a pelo	υπνόσακκος
76	**saison,** n.f.	season	Jahreszeit	estación	stagione	εποχή
138	**salaire,** n.m.	salary	Lohn, Gehalt	salario	stipendio	μισθός
78	**salle,** n.f.	room	Saal, Raum	sala	sala	αίθουσα
45	**salle de bain,** n.f.	bathroom	Badezimmer	cuarto de baño	bagno	μπάνιο
106	**saluer,** v.t.	greet	grüssen	saludar	salutare	χαιρετάω
10	**salut !**	hello !	hallo !	¡ hola !	salve !	γειά!
89	**sans,** prep.	without	ohne	sin	senza	ωρίς
162	**sans doute,** loc.	doubtless	wahrscheinlich	sin duda	certo	χναμφισβήτητα
93	**santé,** n.f.	health	Gesundheit	salud	salute	υγεία
92	**saumon,** n.m.	salmon	Lachs	salmón	salmone	σολωμός
157	**sauver,** v.t.	save/rescue	retten	salvar	salvare	σώζω
162	**se sauver,** v.pr.	run away	weglaufen	escaparse	scappare	διαφεύγω
157	**savant,** n.m.	scientist	Wissenschaftler	sabio	sapiente	σοφός
14	**savoir,** v.t.	know	wissen	saber	sapere	ξέρω
128	**scaphandre,** n.m.	diving suit	Taucheranzug	escafandra	scafandro	σκάφανδρο
87	**scénario,** n.m.	screenplay	Drehbuch	guión	copione	σενάριο
171	**scientifique,** adj.	scientific	wissenschaftlich	científico/a	scientifico	επιστημονικός
114	**sculpter,** v.t.	sculpture	in Stein hauen	esculpir	scolpire	σκαλίζω(άγαλμα)
87	**séance,** n.f.	session	Sitzung	sesion	posa	πόζα
92	**sec/sèche,** adj.	dry	trocken	seco/a	secco	ξερός/η/ο
23	**secret,** n.m.	secret	Geheimnis	secreto	segreto	μυστικό
136	**sécurité,** n.f.	security/safety	Sicherheit	seguridad	sicurezza	ασφάλεια
45	**séjour,** n.m.	stay	Aufenthalt	estancia	soggiorno	παραμονή
142	**sélection,** n.f.	selection	Auswahl	selección	selezione	επιλογή
17	**semaine,** n.f.	week	Woche	semana	settimana	εβδομάδα
37	**sens dessus dessous**	upside down	drunter und drüber	patas arriba	sottosopra	άνω-κάτω
16	**sentiment,** n.m.	feeling	Gefühl	sentimiento	sentimento	αίσθημα
162	**se sentir,** v.pr.	feel	sich fühlen	sentirse	sentirsi	αισθάνομαι
69	**sérieux/se,** adj.	serious	seriös	serio/a	serio	σοβαρός
79	**service militaire,** loc.	military service	Militärdienst	servicio militar	servizio militare	στρατιωτικό
143	**seul,** adj.	alone/lonely	allein	solo	solo	μόνος
55	**seulement,** adv.	only	nur	solamente	soltanto	μόνο
8	**sexe,** n.m.	sex	Geschlecht	sexo	sesso	γένος
46	**si,** adv.	yes, if, so	doch, wenn, ob, so	sí, sí, tan, tanto/a/os/as	si ,se così	ναι, άν, τόσο
149	**sida,** n.m.	Aids	Aids	sida	aids	aids
58	**siècle,** n.m.	century	Jahrhundert	siglo	secolo	αιώνας
170	**siège,** n.m.	headquarters	Hauptsitz	sede	sede	έδρα
170	**sigle,** n.m.	initials	Initialen	sigla	sigla	συντομογραφία
130	**signer,** v.t.	sign	unterschreiben	firmar	firmare	υπογράφω

65	**silence,** n.m.	silence	Ruhe, Stille	silencio	silenzio	σιωπή
9	**s'il vous plait.**	please	bitte	por favor	per favore	σας παρακαλώ
121	**simplicité,** n.f.	simplicity	Einfachheit	sencillez	semplicità	απλότητα
64	**société,** n.f.	society	Gesellschaft	sociedad	società	κοινωνία
22	**sœur,** n.f.	sister	Schwester	hermana	sorella	αδελφή
86	**soin,** n.m.	care	Sorgfalt	cuidado	cura	επιμέλεια
64	**soir,** n.m.	evening	Abend	tarde/noche	sera	βράδυ
92	**sole,** n.f.	sole	Scholle	lenguado	sogliola	γλώσσα
106	**soleil,** n.m.	sun	Sonne	sol	sole	ήλιος
17	**sortie,** n.f.	exit	Ausgang, Ausfahrt	salida	uscita	έξοδος
162	**souffle,** n.m.	blow	Blasen	soplo	soffio	φύσημα
148	**souhaiter,** v.t.	wish	wünschen	desear	augurare	εύχομαι
121	**soulier,** n.m.	shoe	Schuh	zapato	scarpa	παπούτσι
135	**souple,** adj.	supple	flexibel	flexible	flessibile	ευλύγιστος
149	**source,** n.f.	source	Quelle	fuente	fonte	πηγή
86	**sourire,** v.int.	smile	lächeln	sonreír	sorriso	χαμόγελο
36	**sous,** prép.	under	unter	bajo	sotto	κάτω από
128	**sous-marin,** n.m.	submarine	U-Boot	submarino	sottomarino	υποβρύχιο
157	**soutien,** n.m.	support	Unterstützung	apoyo	sostegno	στήριγμα, υποστήριξη
23	**souvenir,** n.m.	memory	Erinnerung	recuerdo	ricordo	ανάμνηση
26	**souvent,** adv.	often	oft	a menudo	spesso	συχνά
135	**spacieux,** adj.	spacious	geräumig	espacioso	spazioso	ευρύχωρος
114	**spectacle,** n.m.	spectacle	Schauspiel	espectáculo	spettacolo	θέαμα
92	**splendide,** adj.	splendid	herrlich	espléndido/a	splendido	λαμπρός
17	**sport,** n.m.	sport	Sport	deporte	sport	αθλητισμός
125	**stage,** n.m.	training period	Praktikum	práctica	stage	προεξάσκηση
157	**stocker,** v.t.	stock	lagern	almacenar	immagazzinare	αποθηκεύω
114	**sublime,** adj.	sublime	herrlich	sublime	sublime	εξαίσιος
120	**succès,** n.m.	success	Erfolg	éxito	successo	επιτυχία
87	**sucre,** n.m.	sugar	Zucker	azúcar	zucchero	ζάχαρη
142	**sud,** n.m.	south	Süden	sur	sud	νότος
142	**suggestion,** n.f.	suggestion	Vorschlag	sugerencia	suggerimento	πρόταση
72	**suite,** n.f.	continuation	Folge	continuación	seguito	συνέχεια
16	**suivant,** adj.	next	folgender	siguiente	seguente	επόμενος
53	**suivre,** v.t.	follow	folgen	seguir	seguire	ακολουθώ
35	**superbe,** adj.	superb	prachtvoll	soberbio/a	superbo	υπέροχος
142	**supplément,** n.m.	extra charge	Zuschlag	suplemento	supplemento	συμπλήρωμα
36	**sur,** prep.	on	auf	sobre/en	su	πάνω
40	**surprise,** n.f.	surprise	Überraschung	sorpresa	sorpresa	έκπληξη
45	**syndicat d'initiative,** n.m.	tourist office	Verkehrsbüro	oficina de turismo	sindacato d'iniziativa	οργανισμός τουρισμού
87	**sweat,** n.m.	sweat shirt	Sweatshirt	suéter (de algodón)	maglia di cotone	κολλεγιακή μπλούζα

T

36	**table,** n.f.	table	Tisch	mesa	tavolo	τραπέζι
39	**tableau,** n.m.	painting	Gemälde	cuadro	quadro	πίνακας
120	**tailleur,** n.m.	suit	Kostüm	traje, chaqueta	tailleur	ταγιέρ
64	**talon,** n.m.	heel	Absatz	tacón	tacco	τακούνι
27	**tante,** n.f.	aunt	Tante	tía	zia	θεία
23	**tant mieux,**	good, fine	um so besser	tanto mejor	meglio così	καλύτερα!
27	**tard,** adv.	late	spät	tarde	tardi	αργά
146	**taux,** n.m.	rate	Rate	rédito	tasso	επιτόκιο
73	**télécommande,** n.f.	remote control	Fernbedienung	telemando	telecomando	τηλεδιεύθυνση
72	**téléviseur,** n.m.	TV set	Fernseher	televisor	televisione	δείκτης τηλεόρασης
106	**temps,** n.m.	time/weather	Zeit, Wetter	tiempo	tempo	καιρός
100	**tendance,** n.f.	tendency	Tendenz	tendencia	tendenza	τάση
124	**tenir,** v.t.	hold	halten	tener	tenere	κρατώ
106	**se tenir,** v.pr.	stand	stehen	estar	essere	στέκομαι
139	**tenter,** v.t.	tempt	hier : reizen	tentar	tentare	δελεάζω
87	**tenue,** n.f.	outfit, clothes	Kleidung	ropa	abito	ένδυμα
37	**par terre,** loc.	on the ground	auf dem Boden	en el suelo	per terra	χάμω
157	**terre,** n.f.	earth	Erde	tierra	terra	γη, χώμα
100	**texte,** n.m.	text	Text	texto	testo	κείμενο
92	**thé,** n.m.	tea	Tee	té	tè	τσάι

31	**titre,** n.m.	title	Titel	título	titolo	τίτλος
64	**toilettes,** n.f.	conveniences	Toiletten	servicios	toelette	τουαλέτες
92	**tomate,** n.f.	tomato	Tomate	tomate	pomodoro	ντομάτα
72	**touche,** n.f.	key	Taste	tecla	tasto	πλήκτρο
87	**toujours,** adv.	always	immer	siempre	sempre	πάντα
12	**tourner,** v.int.	turn	abbiegen	tomar (a la derecha)	girare	στρίβω
37	**tout,** adj. pr.	all	alles, ganz	todo	tutto	όλος, κάθε
157	**toxique,** adj.	toxic	giftig	tóxico	tossico	τοξικός
56	**train,** n.m.	train	Zug	tren	treno	τραίνο
114	**traîner en longueur**	drag on	sehr lange dauern	no acabar nunca	trascinare	αργοπορώ
171	**traité,** n.m.	treaty	Abkommen	tratado	trattato	σύμβαση
135	**transporter,** v.t.	carry	transportieren	trasportar	trasportare	μεταφέρω
30	**traverser,** v.t.	cross	überqueren	atravesar/cruzar	attraversare	διέρχομαι
9	**très,** adv.	very	sehr	muy	molto	πολύ
114	**triste,** adj.	sad	traurig	triste	triste	λυπημένος
134	**trop,** adv.	too, too much	zuviel	demaslado	troppo	υπερβολικά
50	**trottoir,** n.m.	pavement	Bürgersteig	acera	marciapiede	πεζοδρόμιο
142	**trouver,** v.t.	find	finden	encontrar	trovare	βρίσκω
93	**truite,** n.f.	trout	Forelle	trucha	trota	πέστροφα

U

148	**s'unir,** v.pr.	unite	sich vereinigen	unirse	unirsi	ενώνομαι
171	**unité,** n.f.	unity	Einheit	unidad	unità	μονάδα
97	**utile,** adj.	useful	nützlich	útil	utile	χρήσιμος
90	**utiliser,** v.t.	use	benutzen	utilizar	usare	χρησιμοποιώ

V

66	**vacances,** n.f.	holiday	Ferien, Urlaub	vacaciones	vacanze	διακοπές
92	**veau,** n.m.	veal	Kalb	ternera	vitello	μοσχάρι
31	**vedette,** n.f.	star	Star	estrella	star	βεντέτα
16	**vélo,** n.m.	bike	Fahrrad	bici	bici	ποδήλατο
120	**vendre,** v.t.	sell	verkaufen	vender	vendere	πουλώ
26	**venir,** v.int.	come	kommen	venir	venire	έρχομαι
114	**véritable,** adj.	real	wahr, echt	verdadero/a	vero	αληθινός
82	**vérité,** n.f.	truth	Wahrheit	verdad	verità	αλήθεια
27	**verre (prendre un),** loc.	have a drink	ein Glas trinken	tomar una copa	bere qualcosa	(παίρνω ένα) ποτό
92	**vert,** adj.	green	grün	verde	verde	πράσινος
68	**veste,** n.f.	jacket	Jacke	chaqueta	glacca	ζακέτα
68	**vêtement,** n.m.	article of clothing	Kleidungsstück	ropa	vestito	ρούχο
92	**viande,** n.f.	meat	Fleisch	carne	carne	κρέας
76	**victoire,** n.f.	victory	Sieg	victoria	vittoria	νίκη
72	**vie,** n.f.	life	Leben	vida	vita	ζωή
58	**vieux/vieille,** adj.	old	alt	viejo/a	vecchio/a	γέρος, παληός
97	**village,** n.m.	village	Dorf	pueblo	villaggio	χωριό
16	**ville,** n.f.	town	Stadt	ciudad	città	πόλη
162	**violent,** adj.	violent	gewalttätig	violento/a	violento	βίαιος
129	**virage,** n.m.	bend	Kurve	curva	curva	στροφή
72	**visionner,** v.t.	view	betrachten	ver	visionare	οραματίζομαι
59	**visiter,** v.t.	visit	besichtigen	visitar	visitare	επισκέπτομαι
121	**vite,** adv.	fast	schnell	de prisa	presto	γρήγορα
148	**vœu,** n.m.	wish	Wunsch	deseo	augurio	ευχή
10	**voilà,** prep.	here/there is	da ist/sind	ahí esta (n)	ecco	νά!
26	**voiture,** n.f.	car	Wagen	coche	auto	αυτοκίνητο
74	**volume,** n.m.	volume	Lautstärke	volumen	volume	ένταση
16	**vouloir,** v.t.	want	wollen	querer	volere	θέλω
124	**voyage,** n.m.	travel	Reise	viaje	viaggio	ταξίδι
8	**voyelle,** n.f.	vowel	Vokal	vocal	vocale	φωνήεν
27	**vraiment,** adv.	really	wirklich	realmente	davvero	πραγματικά

Dépôt légal n° 362.04.1994
Collection n° 26 - Edition n° 06
15/4773/6
Imprimé en Italie par Rotolito